La memoria

1122

DELLO STESSO AUTORE
in questa collana

Pista nera
La costola di Adamo
Non è stagione
Era di maggio
Cinque indagini romane per Rocco Schiavone
7-7-2007
La giostra dei criceti
Pulvis et umbra
L'anello mancante. Cinque indagini di Rocco Schiavone
Fate il vostro gioco

nella collana «Il divano»

Sull'orlo del precipizio

Antonio Manzini

Rien ne va plus

Sellerio editore
Palermo

Questo volume è stato stampato su carta Palatina prodotta dalle Cartiere di Fabriano con materie prime provenienti da gestione forestale sostenibile.

Manzini, Antonio <1964>

Rien ne va plus / Antonio Manzini. - Palermo: Sellerio, 2019.
(La memoria ; 1122)
EAN 978-88-389-3892-4
853.914 CDD-23 SBN Pal0310698

CIP - *Biblioteca centrale della Regione siciliana «Alberto Bombace»*

Rien ne va plus

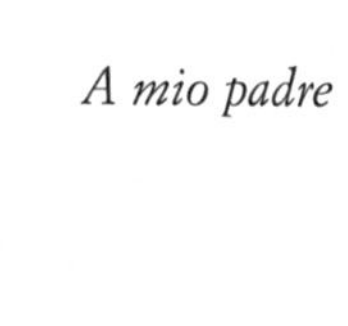

A mio padre

Martedì

«Stai dormendo?».
«No».
«E tieni sveglio pure me».
«Mi va veloce il cuore».
«Com'è?».
«Non lo so. All'improvviso comincia a correre».
«Se respiri profondo lo calmi».
«Ci provo, forse ora va meglio».
«Mi dici perché sei nel mio letto?».
«Nel mio fa freddo».
«C'è la stessa temperatura».
«Qui fa più caldo».
«Sembra, ma non è così. Sono un uomo che fra un po' fa 50 anni, e non mi va di dormire con un adolescente che si agita e tira calci».
«Ti capisco. Perché sei così triste? Ho letto che hai preso i cattivi».
«Ho preso un cattivo, gli altri ancora no».
«Cioè?».
«È una storia lunga».
«Tempo ne abbiamo, quello che ci manca è il sonno».

«A te manca il sonno, a me no. Vai a dormire con tua madre, no?».

«Con mamma non mi piace dormire. Va bene, vado nel mio letto, posso prendere Lupa?».

«No, lei resta qui. A proposito di Lupa, me la devi tenere. Domattina presto parto».

«Non c'è problema, sganci i soliti cinque euro al giorno...».

«Cinque euro? Io ospito te e tua madre gratis e tu hai la faccia di chiedermi cinque euro?».

«Tre?».

«Due e chiudiamo».

«D'accordo. Posso accendere la luce?».

«Proprio no!».

«M'è venuta fame!».

«Vedi se c'è qualche biscotto».

«Ti va una pasta riscaldata?».

«No. Voglio cercare di dormire. Buonanotte Gabriele».

«'Notte Rocco».

Mercoledì

Erano le cinque del mattino quando il vicequestore Rocco Schiavone scalciò via il piumone e poggiò i piedi nudi sul parquet. La casa era tiepida, segno che almeno quella convivenza forzata a qualcosa serviva, Gabriele sapeva far ripartire la caldaia. Andò in bagno, una doccia velocissima, gettò poche cose dentro la sacca. «Tu stai a cuccia, amore» disse a Lupa, che rimase stesa sul letto. Entrò nel salone. I pannelli che Cecilia e Gabriele avevano montato erano chiusi. Ma dalle pareti di carta traspariva una bava di luce azzurrognola. Cecilia stava davanti al monitor del computer. Lento si avvicinò per sbirciare attraverso una piccola fessura fra i montanti e la vide seduta a gambe incrociate. Indossava un paio di auricolari ed era concentrata a guardare un film. Era convinto stesse giocando online. Forse Sara Tombolotti, la psichiatra alla quale aveva indirizzato Cecilia, stava ottenendo dei risultati. Silenzioso si allontanò soddisfatto e uscì di casa, lo aspettavano sei ore di macchina. Aveva mentito a Gabriele, non aveva chiuso occhio. L'ansia che Baldi, seguendo le indicazioni di Enzo Baiocchi, si sarebbe messo alla ricerca del cadavere di Luigi sotto le fondamenta del villino all'Infernetto gli aveva spezzato il fiato e il cuore.

Gabriele era in strada e il freddo era una mano che stringeva al collo. Come sempre l'abbigliamento del ragazzo non era adeguato alla temperatura. Un giacchetto sopra una maglietta degli Slayers, i jeans e le scarpe da basket. Lupa come un aspirapolvere annusava le saracinesche dei negozi ancora chiusi. Un postino intabarrato che pareva un tuareg passò veloce sul motorino. Gabriele teneva in mano una merendina all'albicocca e con un morso ne staccò più della metà. Il suo rendimento scolastico era sempre in equilibrio precario sul baratro dell'insufficienza. Aveva ottenuto qualche voto decente ma nelle materie minori. Il vero scoglio era ancora il latino. Ripassava la lezione, alle 10 ci sarebbe stata un'interrogazione a tappeto e la prof aveva minacciato la classe. «Chi risulterà assente, a meno che non sia in ospedale a farsi amputare una gamba, lo riterrò automaticamente impreparato» aveva detto squadrando gli allievi e, così parve a Gabriele, soffermandosi su di lui una manciata di secondi in più col cipiglio severo di chi non ammette repliche. Fino all'una di notte era stato sui libri e gli sembrava che, almeno sui verbi, stavolta poteva dire la sua. «Dicesi verbo deponente quel verbo che non ha più la forma attiva e presenta solo quella passiva anche se mantiene un significato attivo. Un esempio? Certo prof. *Morior*, morire, oppure *sequior*, che vuol dire seguire. Fammi una frase. Va bene prof. Allora: *perpetuo vincit qui utitur clementia*! Bravo Gabriele! Grazie. Un'altra? No prof, so solo questa, ci ho messo una notte per impararla!». Mangiò il resto della merendina attraversando piazza Chanoux.

Caterina guardava le montagne incappucciate sulla città che era stata casa sua per tanti anni, le strade ancora bagnate dall'umidità della notte. Non era niente di che, ma era stata il suo mondo. Non aveva avuto neanche il tempo di darle un addio sincero, un taglio netto senza rimpianti, con la consapevolezza di aver fatto il proprio dovere e non avere nulla da rimproverarsi. Poi vide il ragazzo con Lupa a neanche cento metri. E un pugno di ghiaccio le cadde nello stomaco e le fermò il respiro. Gabriele parlava da solo masticando una merendina, i capelli lunghi e sporchi, vestito come se fosse primavera. Pareva atermico, non badava al vento leggero e gelido che anticipava l'inverno. E Lupa ogni tanto alzava la testa per sniffare l'aria e scoprire gli odori segreti che celava. Forse era il freddo, ma una lacrima le uscì strisciando sulla guancia. Se l'asciugò, poi salì sulla Nissan Micra rossa. Mise la prima e il viceispettore Caterina Rispoli lasciò la città di Aosta.

«Poteva almeno salutarci!» fece Gabriele chinandosi a carezzare Lupa. «Vero Lupacchiotta?», e con lo sguardo salutò l'utilitaria rossa che svoltò per perdersi dietro il palazzo ad angolo. Poi la pioggia cominciò a cadere. Prima arrivarono le piccole gocce, poi le nuvole aprirono la chiusa a cascata che sarebbe durata giorni.

Temperatura mite, decisamente sopra i 15 gradi. Sole a sprazzi e strade costipate. Puzzo acre di medi-

cine andate a male e montagne di immondizia vomitate fuori dai bidoni. Roma dava il meglio di sé. Citofonò.
«Sali Rocco» fece Brizio aprendo il portone.

S'erano appena messi a tavola. Stella scattò in piedi e andò ad abbracciarlo. La fece girare come una bambina. «Finalmente, quanto tempo. Come stai?» lo baciò sulle labbra, lo facevano da quando si conoscevano. «Bene, Stella. Ti vedo in forma!».

«Ecco, diglielo tu, Rocco. Deve mangiare! Fra poco resta solo pelle e ossa» brontolò Brizio.

Stella si voltò inviperita: «Peso 50 chili, ben due sopra il mio peso forma, quindi so io quando e cosa mangiare. Dico bene, Rocco?».

«Dici bene!».

«Sei un amico, Schiavo'. Vuoi favorire?».

«No grazie, all'autogrill ho preso una schifezza imbottita di polistirolo...». Si sedette a tavola. «Magari un bicchiere sì» e si versò del vino.

Brizio partì con la prima forchettata. «Amatriciana, come la faceva mamma... non sai che te perdi».

«Ho lo stomaco chiuso».

«Mo' me racconti».

Stella nel piatto aveva un pugno di lenticchie accompagnate da due carote. «Soffritto, sugo, carboidrati... tutto veleno!» disse ingollando la prima cucchiaiata. «Allora ti piace?» e indicò il salone. L'avevano appena arredato. Spiccava un divano in acciaio e pelle e un televisore grande quanto la parete. «Quanti pollici è?».

«Se non posso anda' allo stadio, almeno la partita me la godo uguale».

«Per quello che c'è da vede'» fece Rocco sorseggiando il vino rosso.

«Sicuro niente pasta?».

«Sicuro, Brizio».

«Finisco 'sta meraviglia e ci mettiamo in balcone. Sentito che aria? Pare di stare in primavera, e invece ancora deve veni' Natale! Roma è una grande città» e succhiò un paio di spaghetti facendo lo schiocco.

«In termini geografici sicuramente».

«Si tratta della casa?» chiese l'amico. «Non ho ancora novità».

«No, è un'altra questione...».

Stella si pulì la bocca col tovagliolo e guardò Rocco. «Ho saputo che vendi. Perché?».

«Non mi serve, non la voglio più. Compratela voi!».

Brizio e Stella si guardarono. Fu Stella a rispondere: «No... mi ricorda Marina, mi ricorda altri tempi che non verranno più, che eravamo tutti felici e ridevamo sempre».

«Hai capito perché la vendo?».

Stella annuì e mollò un morso alla carota che scrocchiò.

«Pari un coniglio» le disse Brizio.

Stella rise e mostrò due incisivi arancioni.

«Annamose a fuma' una sigaretta va'...». Uno sguardo a Stella, poi Brizio si alzò seguito da Rocco.

Dal balcone si vedeva un bel pezzo della città. La Torre delle Milizie, l'Altare della Patria, e pure un frammento della cupola di Sant'Andrea della Valle. «Da qui sembra un paradiso, vero?».

«Il problema è quando scendi in strada. Allora, c'è un problema brutto».

«E dimmi». Brizio si accese la sigaretta.

«Baiocchi ha cantato sul fratello. E ha pure indicato alla polizia dove sta il cadavere. Mo' come l'ha saputo io non lo so, però ha dato l'esatta posizione».

«Cazzo...».

«Se lo riportano su, quello ha la pallottola dentro» fece Rocco poggiato alla balaustra e con il viso rivolto verso i tetti di Roma. «E la pallottola è della mia pistola, Brizio. Me se bevono!».

Brizio prese un'altra boccata. «Come una lattina de Coca-Cola. Soluzioni?».

«Non ne ho. Io penso che andranno fino in fondo».

L'amico strizzò gli occhi guardando il panorama. «Abbiamo le mani legate. Che pensi di fare?».

«Svuoto il conto e te saluto. Io in galera non ci vado. Non per quel figlio di puttana di Luigi Baiocchi».

«Questo è chiaro. Allora io e Furio mettiamo voce in giro, appizzamo le orecchie e sentiamo le novità. Era all'Infernetto, no?».

«Sì. Adesso ci abita la famiglia Roncisvalle...».

«Bene. Ci aiutano i tempi burocratici. Non è che uno po' anda' a casa della gente a scava' sotto le fondamenta così, come 'na scampagnata. È il caso di avvertire Seba...».

«Non mi risponde».

«Piazzate sotto casa sua. Deve sapere. Proverò a chiamarlo pure io». Alzò lo sguardo. «Ma guarda te! Il tempo cambia!». S'era alzato un grecale improvviso e Rocco e Brizio rientrarono in casa con un brivido dietro la schiena.

Sora Letizia, la vicina di Sebastiano, era affacciata alla finestra. «Vieni su Rocco...» fece. Rocco entrò nel portone e salì mezza rampa di scale. La vecchina l'aspettava sulla porta. «Sebastiano non ti risponde, eh?».

«No, sora Leti', ma a dire il vero manco ce provo più». Entrò. La casetta profumava di sughi e intingoli. «Sempre a cucinare?».

«Quello Sabatino se ogni giorno non je preparo una cosa diversa dice che non l'amo più... ma se po'? A 76 anni?».

Svoltarono il corridoio ed entrarono in cucina. Rocco scoperchiò una pentola: «Polpette!».

«Col pane!» fece orgogliosa la donna.

«Dov'è Sabatino?».

«Oggi analisi del sangue e poi andava a fasse vede' la schiena dal fisioterapista... vieni...» aprì la finestra del balconcino. «Rocco, per carità, lo sai che pe' me sei un fijo, ma spero proprio che quell'orso te apre la prossima volta. Entra' a casa della gente così non è da cristiani».

«Ci ha ragione...» e poggiò un piede sulla balaustra.

«Che pure sor Armando giù al garage l'altra volta m'ha detto: ma che Sebastiano ha murato la porta che Rocco deve entra' dal balcone suo?».

«Armando quando imparerà a farsi i fatti suoi...». Si tirò su aggrappandosi al divisorio.

«Sarà sempre tardi Rocco, hai ragione. Vabbè fijo» gli disse guardandolo dal basso mentre scavalcava la ringhiera, «salutame Sebastiano e dije che se serve qualcosa basta che chiama e io sto qui. Rientro, che a sta' co' l'occhi in su me gira la testa e me fa male la cervicale!».

«Me stia bene e me saluti Sabatino». Rocco era atterrato sul balconcino di Sebastiano. Guardò dentro il salone. La luce della televisione colorava la stanza. Bussò ai vetri. Attese. Bussò ancora. Finalmente la faccia di Sebastiano apparve al di là del vetro. Gli occhi gonfi, i capelli spettinati, un cardigan vecchio e liso su una maglietta bianca macchiata.

«Apri!» gli disse.

Sebastiano girò la maniglia. «Non t'arrendi!».

«Famme entra'!» e lo scansò. La casa puzzava di polvere e cibo andato a male. Sebastiano richiuse la finestra, poi si voltò a guardare l'amico. «Quanto cazzo deve durare 'st'embargo?» gli chiese. «Non mi rispondi al telefono, non ti fai vivo, manco apri la porta!». Rosso in viso Rocco urlava, ma Sebastiano lo guardava in silenzio. Non si capiva se stava per esplodere oppure era solo abbattuto e stanco. «Io ti devo parlare!».

Fu allora che Sebastiano si mise l'indice davanti al naso indicando prudenza e spalancò gli occhi. Rocco non capiva. «Ma...?». Poi andò al lavello dell'angolo cottura ad aprire l'acqua. «Che cazzo...?».

Sebastiano si chiuse la bocca con due dita, alzò il volume del televisore, intorno a un tavolo lungo dieci metri un gruppo di persone seguiva con attenzione una cuoca che preparava del cibo. «Lasciamo in ammollo le lenticchie per almeno due ore...».

Sebastiano prese un foglietto e una penna.

«Si mette l'insaccato in un tegame ampio e lo ricopriamo d'acqua, così, vedete?».

Sebastiano scriveva. Rocco si avvicinò al foglio.

«Ora tagliamo a rondelle il gambo di sedano e le carote».

Lesse. «*Non parlare. Sta' zitto. So tutto*».

«Sminuzziamo la cipolla e la costa di sedano per fare un soffritto...».

Rocco prese la penna, scrisse velocemente e passò il foglio a Seba che con una smorfia recuperò la penna e sottolineò due volte il messaggio di Rocco. «*T'he ghramatto Brzo? Che cazzo hai scritto?*».

Rocco alzò gli occhi al cielo e stavolta usò lo stampatello: «T'HA CHIAMATO BRIZIO?».

«Mettiamo le lenticchie dopo averle scolate con alloro e rosmarino».

Sebastiano annuì. Poi continuò: «*Co' 'sta scrittura dovevi fa' il medico!*».

«ALMENO SO SCRIVERE!».

«*Ma va a fan culo*».

«SI SCRIVE TUTTO ATTACCATO: VAFFANCULO».

«Le lenticchie ci impiegano una quarantina di minuti, quindi abbiamo tutto il tempo per...».

Sebastiano guardò Rocco. Gli sorrise. Si mise una mano sul cuore, Rocco fece lo stesso. Sebastiano si chinò ancora sul tavolo. «*Quando finisce 'sta cosa parliamo. Ora vattene. Prima però di' un paio di stronzate qualsiasi. Tanto ti viene facile*».

Andò a chiudere l'acqua e ad abbassare la televisione. Rocco tirò un respiro di sollievo. «Ma la doccia non te la fai per quello?» e indicò il braccialetto elettronico alla caviglia.

«No, basta metterci una busta di plastica. Non mi lavo perché non aspetto visite. Anzi non m'aspettavo manco la tua».

«Te serve qualcosa?».

«Sì. Che te ne vai!». Poi si avvicinò e lo abbracciò con tutta la forza che aveva. A Rocco si spezzò il fiato. «Va bene, me ne vado. È stato un piacere rivederti, Seba».

«Io non posso dire lo stesso» ma aveva gli occhi pieni di lacrime.

Al bar di piazza San Cosimato il calendario si era fermato a metà degli anni '70. Aleggiava una puzza di straccio sporco e legno marcio. Sulle mensole impolverate erano schierati liquori ormai estinti in quasi tutto il pianeta. Dom Bairo, Biancosarti, Coca Buton. Al centro come una reliquia dominava una bottiglia del Caffè sport Borghetti. La macchina della Faema aveva la plastica crepata e poggiate sopra decine di tazzine paffute e marroni. Nessuna concessione alle nuove merendine piene di zuccheri e grassi idrogenati, solo gomme sfuse di una marca ignota gettate in una boule di vetro e dei torroncini con la carta gialla. Il marmetto arancione del pavimento lurido era strisciato e sbreccato. Una radiolina giapponese impolverata con l'antenna spezzata a metà mandava scariche dalle quali ogni tanto affiorava una canzone italiana. All'angolo un flipper disattivato da anni riportava le immagini di Tarzan. C'erano quattro tavolini di ferro ammaccati circondati da sedie di plastica a fili intrecciati. Su uno di quei tavolini, il più vicino alla porta-finestra, sedevano Rocco, Furio e Brizio. Leggevano il foglietto con il dialogo surreale avvenuto fra Rocco e Sebastiano. Furio scuoteva la testa. «Non capisco... che vuol dire?».

«Ha alzato il volume della televisione, ha aperto l'acqua e mi faceva segno di stare zitto».

«Pare un film de spionaggio» disse Brizio concentrato sull'appunto.

Nel bar entrarono due poliziotti, l'aria dei padroni di casa, mani poggiate sui fianchi, si guardavano intorno con un ghigno sprezzante sulla bocca. Furio alzò appena gli occhi al cielo. Gli agenti si avvicinarono al tavolo, Brizio restava concentrato su quel foglio di carta a quadretti.

«Guarda chi si vede» fece l'agente più anziano. Col pizzetto, lo sguardo truce e la giacca che stava per esplodere per i bicipiti pompati. Si piazzò alla sinistra di Furio. Il più giovane, basso robusto e rosso di capelli, invece alla destra. «Furio Lattanzi. E c'è pure Brizio Marchetti!». Brizio restituì il foglietto a Rocco. «Che si dice?» chiese il poliziotto giovane.

«Un cazzo» rispose mugugnando Furio.

«E 'st'amico vostro chi è?» fece l'anziano.

Rocco lo guardò strizzando appena gli occhi. «Ci conosciamo?».

«A te non t'ho mai visto» rispose quello.

«A te? E da quando ci diamo del tu?».

I due agenti si guardarono senza levarsi la smorfia

sprezzante dalle labbra. «Io do del tu, te vedi di mantenere il lei quando parli con me».

Rocco diede un colpetto al braccio di Brizio: «Chi so' 'sti du' fregni buffi?».

«Nun je da' retta, due cacacazzi» fece l'amico alzando appena le spalle.

«Rompono solo i coglioni» aggiunse Furio, «so' convinti che io e Brizio siamo quelli cattivi. Siamo cattivi io e te, Brizio?».

«A me non risulta».

«Sapete qualcosa della gioielleria a via Galvani?» chiese il poliziotto più anziano.

«Non so manco che c'era 'na gioielleria a via Galvani».

«Se so' fatti la cassaforte. E a me, chissà perché, me sei venuto in mente tu, Furio».

Furio alzò lo sguardo: «Te sei innamorato?».

Brizio rise.

«Lo trovate divertente? Noi no, per niente. Allora?».

«Allora che?» intervenne Brizio. «Non ci avete de mejo da fa' che rompe li cojoni a noi?».

«Posso sapere i vostri nomi?» chiese Rocco, ma Furio lo fermò afferrandogli il braccio. «Lascia perdere» gli disse, «stanno a lavora' pure loro».

L'agente più anziano prese una sedia e si sedette di fianco a Furio. «Perché, per come la vedo io, ogni volta che c'è di mezzo una cassaforte tu prima o poi vieni a galla, Furio. Mi sbaglio?».

Furio si girò lento verso il poliziotto. «La sai una cosa, Mario? Sei fuori pista. Io le casseforti non le tocco. Troppo tempo, so' coriacee e non ci si guadagna.

Ormai mi faccio le banche. Alla prima rapina capace che me trovi lì se hai le palle per venire a vedere».

«È spiritoso» disse il poliziotto più giovane, «fa proprio ride. Facciamo così Furio e Brizio, ora noi indaghiamo. Se poco poco uno di voi due tre notti fa non ha una scusa decente, e non mettete in mezzo mamme sorelle e cognate, noi torniamo e vi facciamo il culo».

«E noi qua stiamo» disse Brizio.

L'agente anziano si alzò trascinando la sedia. «Se vedemo... in quanto a te» e puntò Rocco con l'indice, «non so chi sei, ma fatte rivede' co' 'sti due e te diamo 'na controllatina».

«Ancora col tu?». Rocco sbuffò e si girò verso Furio. «Mi sto innervosendo. Senti un po' agente di polizia Mario... Mario e poi?».

Quello si portò le mani al cinturone. «Quando un poliziotto fa domande, si risponde e zitti. Mo' mi dici come ti chiami e ringrazia che non ti faccio mettere sull'attenti!». Il poliziotto giovane sorrise, poi si sentì in dovere di dare manforte al collega: «Sull'attenti, l'hai fatto il militare, no?».

Rocco si mise in tasca il foglietto di Sebastiano. «Allora, cazzoni, io sono il vicequestore Rocco Schiavone, voi chi siete?».

Le maschere arroganti sparirono per lasciare il campo al panico e allo sgomento.

«Quando un vicequestore chiede il nome a un agente, quello risponde senza rompere il cazzo. Adesso posso sapere come ti chiami o me lo dici mentre ti prendo a calci in culo fino a San Cosimato?» chiese Rocco tranquillo.

«Io...».
«Proprio tu».
«Mi chiamo Mario Landini, dottore, e il collega Giuseppe Recchia».
«Bene, Recchia e Landini, l'avete fatto il militare?».
«Sì...».
«Io proprio l'ultimo anno che c'era la leva obbligatoria!».
«Allora dietrofront e levatevi dal cazzo».
Si portarono la mano di taglio alla fronte e girando i tacchi lasciarono il bar.
«Scusate, aveva esagerato» disse Rocco. Brizio e Furio neanche gli risposero.
«Sebastiano è come se si sentisse spiato?».
«È così, Furio, m'ha dato quell'idea».
«Ma da chi?».
«Che ne so?».
«Storia brutta» commentò Furio. «Se quelli vanno a scavare all'Infernetto... manco ce vojo pensa'. Che facciamo?».
«Io dico che io e te, Furio, diamo una controllata. Abbiamo qualcuno all'Infernetto?».
«Er bulgaro» disse Furio. Nicola De Martini, che non era bulgaro, ma lo chiamavano così perché nel 2008 s'era giocato duemila euro sulla vittoria dell'Italia sulla Bulgaria alle qualificazioni ai mondiali e invece uscì fuori uno squallido zero a zero.
«Nicola?» fece Brizio. «Sta laggiù?».
«Da un anno e mezzo» rispose Furio. «Dice che l'aria di mare gli fa bene. Ci si può fidare di Nicola».

«Finché non punta i tuoi soldi con gli allibratori sì» disse Rocco. «Allora fategli tenere gli occhi aperti».

«Sì, ma li teniamo pure noi» disse Furio. «E appena si muove qualcosa ti chiamiamo».

«Ora torna ad Aosta. Hai ancora il caso aperto, no?».

«Sì...». Si alzò dalla sedia. «Vi voglio bene, frate'».

«Pure noi...» rispose Furio. «E appena riesco a capire qualcosa faccio un salto da Seba, perché a me 'sto tarlo di chi lo controlla non mi piace».

«Manco a me, Furio, manco a me. La puzza di quella gente ultimamente l'ho sentita pure troppo».

Aprì il portone di casa a mezzanotte passata. Distrutto dal viaggio, la bocca amara per i caffè presi agli autogrill e le dodici sigarette fumate in macchina. Fradicio per aver fatto solo pochi metri di corsa sotto l'acqua, sembrava che una tagliola gli avesse conficcato i denti acuminati nella carne dei muscoli lombari. Accese la luce a tempo. C'era della posta. La prese senza guardarla. Salì le scale e finalmente infilò la chiave nella toppa. Lupa gli corse subito incontro. Gabriele era steso sul suo letto nell'angolo vicino al bagno. Stava leggendo un fumetto. «Rocco! Bentornato!». Il divano di Cecilia invece era vuoto. «Ciao Gabrie'... mamma?».

«Mamma ancora deve rientrare. Aveva un appuntamento in banca...».

«A mezzanotte?».

«No, era di pomeriggio, ma lo sai com'è mamma, no?».

«No, non lo so. Com'è?».

«Si sa sempre quando esce ma mai quando rientra. Oh, lo sai?». Alzò le mani e sei dita.

«Che vuol dire?».

«Sei in latino! Ho preso sei in latino. Va festeggiato! M'ha chiesto i verbi deponenti».

«Ottimo, ragazzo, ottimo». Gettò la posta sul tavolo. «Ora mi dici come mai a mezzanotte passata sei ancora sveglio? Domani non hai scuola?».

«Sì, ma è una passeggiata. Educazione fisica, italiano, ma c'è la supplente, e quello di mat sta a letto con la febbre, quindi mi sa che passiamo la mattinata in palestra».

«Io me ne vado a letto, sono a pezzi. Tu vedi di spegnere la luce e prova a dormire».

«Hai fame? Mamma per pranzo aveva fatto il pollo arrosto, ne è avanzato un po'».

«Gabrie', mi viene da vomitare solo al pensiero...».

«Ah, ho una lettura per te...» si voltò e afferrò un giornale buttato sul tavolino del salone. «Tieni, ti può interessare».

Rocco lo afferrò. C'era un articolo della solita Sandra Buccellato.

«L'ha scritto la stronza» commentò Gabriele.

IL DELITTO DI VIA MUS
UN CASO RISOLTO NEL CAOS IRRISOLTO

È notizia di pochi giorni fa che la procura ha effettuato l'arresto di Arturo Michelini, croupier del casinò de la Vallée, con l'accusa di omicidio. La vittima, Romano Favre, 65 anni, ex ispettore presso il casinò, stando alle dichiarazioni del questore Costa era colpevole di aver individuato un traffico di riciclaggio di denaro sporco. Le manette sono scattate anche ai polsi di Giovanni Mieli, Rosanna Sbardella e Goran Mirković, quest'ultimo di nazionalità croata ma residente a Milano dal 2006. Il direttore amministrativo del casinò Enricomaria Ponchielli si è dichiarato parte civile nel processo elogiando il lavoro della questura nello svelare il traffico ai danni del casinò e della comunità. Fonti della procura invece fanno pensare che dietro questo terribile omicidio ci sia dell'altro. Come al solito bocche cucite e no comment di rito, ma la sensazione è che si voglia nascondere un'indagine a più ampio spettro e che al centro ci sia proprio la casa da gioco valdostana che da anni naviga in pessime acque. Debiti milionari, rimpinguamenti continui delle casse esangui da parte della Regione, un transatlantico quello del casinò di Saint-Vincent che sembra destinato a un approdo catastrofico. Si può fermarne la corsa? Spesso questo giornale ha chiesto conto di quest'amministrazione allegra, ha domandato lumi su quella che una volta era una fabbrica di denaro e benessere e che invece è diventata una specie di ministero, schiava degli appetiti politici e dei bisogni di qualcuno che la usa come proprio tornaconto. Ma siamo sicuri che risposte non ce ne saranno. A noi cittadini, a questo giornale, non resta che continuare a pagare le tasse e sperare in un'amministrazione corretta e degna. Sperare, appunto, non pretendere.

SANDRA BUCCELLATO

Abbandonò il giornale sulla sedia. «Devo ricordarmi di presentare Sandra Buccellato a Michela Gambino» disse a Gabriele.

«Chi è Michela Gambino?».

«Sostituto della scientifica. Vede complotti dappertutto. Queste due insieme potrebbero essere una bomba al neutrino. Vabbè, vado a ninna. A domani!» un fischio e Lupa seguì il padrone in camera da letto. Gabriele invece decise che era l'ora di una tazza di latte coi Chocos.

Giovedì

La pioggia cadeva a secchiate sul parabrezza e martellava il tettuccio dell'auto. Erano le 11 del mattino ma lo si poteva capire solo guardando l'orologio perché il temporale aveva oscurato il cielo facendo piombare la Valle in un crepuscolo improvviso. Rocco era in macchina da dieci minuti e se ne stava seduto a guardare il tergicristallo che puliva il vetro mostrando per pochi secondi la strada zuppa d'acqua e le luci delle vetrine e dell'hotel sul marciapiede di fronte. Aprì un dito di finestrino per gettare la sigaretta. La temperatura era salita. Gli faceva male la schiena e anche il ginocchio lanciava degli ammonimenti dolorosi.

Doveva ricominciare daccapo, l'omicidio del ragioniere Favre aspettava ancora un mandante e forse c'era un dettaglio, un odore che non aveva percepito. Si girò a guardare Lupa che ansimava e fissava i cristalli appannati. «Torno subito...» e lasciò l'auto. Attraversò veloce via Mus ed entrò nel portone. Infilò le chiavi nella serratura dell'interno 2 e si ritrovò nell'appartamento della vittima con il loden e i capelli zuppi di acqua. Si richiuse la porta alle spalle. Preferì non accendere la luce, lasciando la casa in penombra. Attraversò il corridoio ed entrò in camera da letto. Sul pavimento c'era ancora il sangue lasciato da Romano Favre, una chiazza scura, aveva la forma della Gran Bretagna. La pioggia lacrimava sui vetri della porta-finestra accostata che dava sul giardino e aveva sciolto tutta la neve caduta nei giorni precedenti. Sullo stipite chiari i segni di scasso. Si sedette sul letto e chiuse gli occhi. Respirò l'odore della casa, ogni casa ne ha uno. Percepiva un sentore acre e metallico misto a terra bagnata. Si passò la mano fra i capelli fradici e se l'asciugò sulla sopraccoperta. Cosa gli era sfuggito?

Ora dietro le palpebre rivedeva la scena. Arturo Michelini, il croupier, che fruga nella stanza alla luce di una torcia. Il rumore della porta sbattuta, è la vittima che rientra in casa all'improvviso. L'allarme sugli occhi dell'assassino, mentre si nasconde dietro la porta ad aspettare. Poi Romano Favre entra, sta cercando Pallina, il suo gatto siamese. Arturo svicola in cucina per nascondersi, ma Romano lo vede. Quello prende la prima cosa che gli capita in mano, il coltello, un balzo e gli sferra la prima coltellata al fegato. Il ragioniere si accascia a terra urlando di dolore. Arturo si avvicina, incombe sulla vittima, la seconda coltellata alla giugulare, poi si allontana e lo lascia lì, dove ora c'è la macchia. L'assassino prende il cellulare, controlla qualcosa, se lo mette in tasca ed esce con le mani imbrattate di sangue mentre la vita di Romano Favre se ne scappa da un buco sul collo.

«Che cazzo cercavi nel cellulare?». Cosa aveva scoperto Romano Favre di talmente grave da meritare la morte? Aveva sbagliato a pensare fosse il riciclaggio di denaro al casinò, i tre arrestati con quell'omicidio non avevano niente a che fare.

E allora?

Aspettò. Richiuse gli occhi.

Il corpo senza vita di Romano ora giace sul pavimento. Nel pugno la fiche del casinò di Sanremo, il suo portafortuna, quello che l'ha messo forse sulla strada sbagliata. E passano le ore. Quante? Non lo sa. Poi un'ombra alla quale lui non sa ancora dare un viso entra dalla porta-finestra, la scassina con una specie di spada, ma Rocco lo sa, è uno spiedo da grigliata, l'ha preso in giardino dal barbecue. Ha i guanti, di questo ne è sicuro. Lento poggia l'accendino di Cecilia Porta, la mamma di Gabriele, sul comodino e silenzioso se ne va. Chi è?

«Chi sei?» chiese ad alta voce, e il suono rimbombò nell'appartamento deserto e gelido. Dove l'hai preso l'accendino di Cecilia?, si domandò.

Niente, non ne veniva a capo. Restò ancora seduto sul letto nel silenzio dell'appartamento pieno di ombre rotto solo dal rumore della pioggia. Una casa morta, come il proprietario, e che nessuno forse abiterà mai più. Come la sua a Roma, a via Poerio, l'appartamento che aveva visto i suoi giorni più belli e che adesso Brizio aveva messo in vendita perché Rocco lì non voleva più tornare.

Si alzò dal letto, ripercorse il corridoio e uscì. Guardò la porta della dirimpettaia, Bianca Martini, e il suo spioncino Montessori, come lo aveva ribattezzato il primo giorno che l'aveva notato, a poco più di un metro e mezzo di altezza. Salì la rampa di scale. C'era bisogno di una visita anche nella caverna dell'orco. Una serratura semplice, Rocco ci mise due minuti di orologio per aprirla. Accese la luce. C'era ancora l'odore di legna bruciata. Sulla mensola i trofei sciistici e le foto del croupier sorridente mentre alza una coppa sulla neve di qualche pista in alta montagna. Si avvicinò al camino pieno di cenere. Con l'attizzatoio ci rovistò dentro. Brace vecchia e due chiodi. Andò in cucina. Aprì il frigo. Non sapeva cosa stesse cercando. Il latte scaduto, una scatoletta di pâté e una bottiglia di vino bianco piena per metà. Passò alle scansie. I biscotti per la colazione, il sale rosa per la pressione, Arturo Michelini ce l'aveva alta, pentole, piatti. Gli oggetti non lo sanno quando una casa muore, continuano la loro esistenza e aspettano, prendono polvere e sarebbero capaci di rimanere lì fino alla notte dei tempi se non arrivasse poi la mano di qualcuno a liberarli da quella prigionia solitaria. Entrò nella camera da letto. Aprì l'armadio. Appesi c'erano vestiti, pantaloni di velluto, di lana, sul pianale la busta della tintoria dove il croupier aveva portato lo smoking a lavare per togliere le tracce di sangue. Sul comodino un libro di Stephen King. E nel cassetto la corrispondenza della Banca San Paolo di Saint-Vincent. La osservò. Sul conto poco più di 3.000 euro. In una busta trovò una carta di credito. Ma non era della Banca San Paolo. Era della Walliser Kantonalbank.

«Perché è venuto da me, Schiavone? Ho una riunione fra tre minuti». Baldi camminava veloce con un pacco di carte sotto il braccio. Rocco gli andava dietro insieme a Lupa che ormai conosceva il palazzo del tribunale come casa sua.

«Ha delle novità da Arturo Michelini?».

«Lo interrogo da giorni ma non esce niente. Per di più ha messo in mezzo un avvocato tosto. Ivan Greco, conosce?».

«Mai sentito» rispose Rocco. Cominciarono a scendere le scale.

«Ora lo stronzo nega su tutta la linea, non vuole il rito abbreviato e vuole andare a processo. Meglio, si fa vent'anni, con o senza Greco. Mi piacciono le sfide! Lei è ancora convinto che il riciclaggio non abbia niente a che fare con la morte di Favre?».

«Sempre di più».

Baldi sbuffò. «Insomma, cerchiamo ancora il mandante».

«Cerchiamo il motivo per cui l'ha fatto fuori, dottore».

«Schiavone, prima mi chiude il caso e meglio è».

«Ho bisogno di un supplemento di indagini».

Entrarono in un lungo corridoio. «Buongiorno Messina». Baldi salutò un collega che rispose appena con un cenno del capo. «E secondo lei è sempre al casinò che bisogna cercare?».

«Sempre al casinò. Perché me lo chiede, dottor Baldi?».

Il magistrato si fermò in mezzo al corridoio. Si guardò prima alle spalle, poi puntò gli occhi sul poliziotto. «Diciamo che per la procura meno si aggira da quelle parti e meglio è... e se lo faccia bastare». Riprese a camminare. Rocco invece restò fermo. «L'avvocato, questo Greco, è di Aosta?».

«Sì, ha lo studio in piazza Chanoux. Le serve un avvocato, Schiavone?» gli chiese con un sorriso ironico. «È un penalista molto bravo, il migliore. Forse però è meglio se lo cerca a Roma».

«Mi creda, non ne ho bisogno né qui né a Roma».

«Dice?» e il magistrato sparì in una delle stanze che si aprivano sul corridoio.

«Stronzo» mormorò il vicequestore.

«Cosa poteva nascondere Favre nel cellulare che l'assassino gli ha portato via?».

«Un codice?» azzardò Antonio Scipioni.

«Anto', per favore, non rispondere a una domanda con una domanda» fece Rocco.

«Un codice» affermò allora l'agente.

La finestra dell'ufficio di Schiavone era appannata e poco si distinguevano i monti incappucciati di nuvole e la strada zuppa che schizzava acqua dagli pneumatici delle auto. Rocco teneva la sigaretta in mano, aveva dato solo un tiro, la cenere sembrava dover cadere da un momento all'altro. «Oppure una fotografia» suggerì Italo in piedi accanto alla porta. Si guardava la punta delle scarpe, le guance scavate e pallide, sul viso aveva ancora i segni delle percosse prese qualche giorno prima dai suoi ex compagni di poker. Michela Gambino invece se ne stava in silenzio col naso appiccicato al vetro e ogni tanto disegnava una freccia sulla condensa.

«Cosa abbiamo? La vittima, Romano Favre, che andava al casinò e aveva scoperto un traffico. Di questo ormai siamo certi. E quel traffico non era il riciclaggio come pensavamo. La prova se la portava dietro nel cellulare. La notte dell'omicidio qualcuno lo chiama, lo porta via da casa così che l'assassino, Arturo Michelini, ha il tempo di cercare quella cazzo di prova, e quando torna, zac!, viene ucciso. Ecco cosa abbiamo» e il vicequestore spense il mozzicone nel posacenere.

«Un mp3» disse Antonio, che carezzava la testa di Lupa poggiata sulle sue ginocchia.

«Un...?».

«Mp3, si può anche nascondere quello in un cellulare. Una registrazione audio, magari un dialogo, una telefonata...».

«Giusto» concordò Italo. «Ma qualunque cosa fosse, ormai Michelini l'avrà distrutta. Non la troviamo più».

«Scegliamo una strada. E diciamo che io ho una prova e so che posso inchiodare qualcuno... Perché non contatto la procura?».

«Romano Favre non ne era certo?» azzardò Antonio.

«Aveva bisogno di tempo e di controllare meglio?» si aggiunse Italo.

«Non credo» fece Rocco. «Invece era arrivato al punto. E i figli di buona donna lo sapevano. Come hanno fatto a capirlo? Forse per un caso o forse... Romano Favre si sarà sbilanciato con qualcuno credendolo un amico, e invece quello amico non era».

«Io se volessi nascondere qualcosa però...» intervenne Michela Gambino che fino a quel momento era stata in silenzio. Tutti si voltarono verso di lei. «La nasconderei nel posto più affollato del mondo».

«Spiegati meglio, Miche'».

«La metterei in rete» e si girò verso i colleghi. Il disegno che aveva fatto sul vetro divenne chiaro. Una serie di frecce che partivano dal basso e si perdevano verso il cielo appena visibile dietro il cristallo. «Facciamo una ricerca su YouTube, Instagram, Facebook e tutte quelle minchiate lì. Vediamo se c'è qualche traccia».

«Non è una cattiva idea...» disse Rocco. «Antonio?».

«Certo, ci penso io. Ma mica è una cosa semplice, la rete è un oceano e questa è una goccia».

«Tentare...» fece Michela.

«C'è un dettaglio che ci deve portare sulla strada giusta» disse Rocco. «Ricordiamoci che qualcuno ha cercato di mettere in mezzo Cecilia Porta nascondendo l'accendino in casa di Favre. E quell'accendino sicuramente l'ha preso la notte dell'omicidio. Dove? Un'ipotesi potrebbe essere al casinò, perché Cecilia Porta era lì, a buttare gli ultimi soldi sul tavolo da gioco. Quello è il loro punto debole, e lì io mi concentrerei...».

«È una parola».

«No, Italo, non è una parola. Sono due. Il nome e il cognome del figlio di puttana deve essere in mezzo ai clienti delle sale del casinò la sera dell'omicidio».

«La lista ce l'abbiamo» fece Antonio.

«E allora va ricontrollata».

«Anche quello è un bel problema» fece Italo sconsolato.

«Italo, ecchecazzo, mica è una passeggiata di salute, lo so. Però da qualche punto dovremo pur cominciare, no? Bene, ora tutti al lavoro e buona giornata».

Agenti e sostituto abbandonarono l'ufficio. Rocco ne approfittò aprendo il cassetto della scrivania. Prese uno spinello già preparato e l'accese. Già al secondo tiro si sentì meglio. La schiena cominciò a rilassarsi, così come il battito cardiaco. Con la mano spannò il vetro cancellando il disegno della Gambino e guardò fuori. Aveva smesso di piovere e una coltre nebbiosa abbracciava la città.

Il locale era pieno. Al banco non c'era spazio ma Rocco non aveva voglia di entrare nella sala interna. La puntata al bar l'aveva fatta per ragionare, per concentrarsi sul caso di via Mus, e tutto quel rumore non aiutava. Ma ormai c'era e la voglia di un caffè buono s'era inferocita con il profumo di torrefazione che usciva dalle colonnine stipate di chicchi tostati. Fece un cenno a Ettore e quello capì al volo rispondendo con un occhiolino. Le voci rimbalzavano sul soffitto e sulle pareti, il rombo del vapore che schizzava fuori dalla macchina era assordante. Lupa si era infilata sotto il suo nascondiglio preferito, il primo tavolino a destra dell'entrata che era sempre vuoto e serviva per esporre dépliant turistici e pubblicità. Finalmente Ettore lo guardò con la tazzina fumante in mano e gli fece cenno di aggirare la clientela per raggiungere l'angolo più lontano del bancone. Rocco fendette corpi e cappotti, odori di naftalina e deodoranti, e finalmente raggiunse la meta. «Vuole anche una tarte?».

«Non mi va la crostata. Dammi un pasticcino buono, sennò te lo magni te».

Ettore afferrò un ferro di cavallo con le punte intrise di cioccolata da sotto una campana di vetro e lo porse al vicequestore. «Ecco a lei... questo è buonissimo e lo mangerei anche io volentieri».

Rocco lo addentò subito. Ettore aveva ragione, era eccezionale. C'era più burro in quel dolcetto che in una malga, ma ne valeva la pena. «Mi spieghi una cosa, Ettore?».

«Se è una storia rapida» e indicò con gli occhi la clientela al bancone.

«Perché intingono solo le punte nel cioccolato? Non sarebbe meglio affogarcelo intero?».

Ettore sorrise. «Me lo chiedo da quando avevo sei anni e una risposta ancora non l'ho trovata... con permesso» e si allontanò. Rocco lo seguì con lo sguardo e incrociò due occhi di ghiaccio acuminati come lame che lo stavano osservando chissà da quanto dall'altra parte del bar. Lada sorrideva appena. Con l'ombretto scuro sulle palpebre era ancora più bella, mozzava il respiro. Rocco ricambiò il sorriso. In quel filo sottile e invisibile che s'era teso fra i loro sguardi si intromise un uomo col cappello e cancellò la visione. Passato l'intruso la donna era sparita. La cercò ancora, ma le teste che si assiepavano erano troppe e coprivano la visuale. «Pago domani» gridò a Ettore, e mollò la tazzina. Riattraversò la selva umana con lo sguardo che andava a destra e a sinistra alla ricerca di Lada. Sembrava si fosse disciolta in mezzo alle decine di cappotti e giacche a vento degli altri clienti. Fischiò appena e Lupa schizzò fuori dal nascondiglio. Uscì sotto i portici. La pioggia aveva ripreso a cadere. Accese una sigaretta guardandosi intorno ma della donna non c'era traccia. Si incamminò e lei spuntò fuori da una colonna. «Lì dentro c'era troppo rumore. Ma a quest'ora non dovresti essere in ufficio?».

«E tu a quest'ora dove dovresti essere?».

«Anche io a lavorare».

Portava un piumino blu al ginocchio, degli stivali alti di pelle e un maglione bianco a collo alto che le illuminava il volto. Rocco non era più sotto i portici di piazza Chanoux. Era in una stanza d'albergo, nudo, il corpo di Lada sopra di lui, le mani ingombre del seno, frustato dai suoi capelli. «Ti va di fare due passi?».

«Mi andrebbe di fare altro, Lada...».

La donna aprì l'ombrello e ospitò Rocco. Si avviarono verso la piazza. «Come passa il tempo un vicequestore quando non ha da risolvere dei casi?».

«Si gode il clima di questa città».

«Dalle mie parti in questo periodo dell'anno non si può neanche uscire per la neve che c'è. Vedi la cosa positiva».

«Roščino è la tua città?».

«Sì. Ci sono boschi, laghi... prima della guerra era Finlandia, i miei nonni erano finlandesi, infatti di cognome facevano Virtanen. Poi invece è stato cambiato in Cenestajeva».

«Ci sono gli eschimesi lassù?» chiese Rocco. Lada scoppiò a ridere. «No, Rocco, non ci sono, e le case sono di legno, non di ghiaccio».

«Ah... allora il prossimo inverno un bel viaggio a Roščino! Dov'è il tuo compagno?».

«Guido? È a sciare a Cervinia».

«Viaggia un sacco per uno che sta in pensione».

«Sciare lo rilassa...».

«Ma uno a 65 anni può farlo?».

«Se l'hai fatto fin da piccolo io credo di sì...».

Rocco si arrestò per accendersi un'altra sigaretta. «Lo ami?». Il fumo si incastrava fra le stecche dell'ombrello.

Lada alzò le spalle. «Gli voglio bene. Mi rispetta, mi ha regalato una vita comoda e sì, in un certo modo lo amo».

«Allora perché vieni a letto con me?».

Lada non rispose, continuò a camminare guardandosi la punta degli stivali. «E tu?».

«Io ti rispondo facile. Sono un uomo solo, mi piaci, mi piace venire a letto con te. Allora?».

«Mi dico di lasciar perdere. Poi ti incontro, ti vedo e mi ritrovo a passeggiare con te sotto la pioggia senza un motivo. Sai Rocco, sarebbe bello non fare troppe domande».

«È il mio lavoro».

Le banconote frusciavano nel contatore meccanico. Le mani agili dell'impiegato del casinò di Saint-Vincent le chiusero nella fascetta. Altri due uomini seri e concentrati in giacca e cravatta segnavano sui registri l'ammontare e infilavano il denaro nella cassetta di alluminio. Ruggero aspettava sull'uscio della stanza. Sudava nella divisa di lycra nonostante la temperatura degli uffici si aggirasse intorno ai 15 gradi. I tre addetti al conteggio erano attenti e silenziosi. Lui invece si guardava attorno. La direttrice parlava al cellulare e sorrideva, era abituata a quell'operazione. Anche Ruggero dopo sei anni ci aveva fatto il callo, ma trasportare denaro era sempre un rischio e ogni mattina che mandava Dio in terra pregava che tutto andasse liscio. «Facciamo la statale» aveva detto Enrico, che lo aspettava nel blindato. Cambiavano spesso itinerario per andare ad Aosta. Come battere un rigore. Se lo spedisci sempre alla destra del portiere prima o poi quello te lo para. Guardava le banconote. Blu, verdi, arancioni e ce n'erano anche di viola da 500. Un mucchio di soldi. «Non è come una pasticceria, vero?» gli chiese la direttrice, che aveva appena chiuso la telefonata.

«In che senso Oriana?».

«Si dice che chi lavora in pasticceria alla fine i dolci non li mangi più, gli vengono a noia. Con i soldi non succede, vero?».

«Non lo so» disse Ruggero. «La verità? Per me quelli sono solo pezzi di carta che mi fanno rischiare la pelle, tutto qui».

Oriana Berardi sorrise. «Sai cosa pensavo all'inizio?».

«Cosa?».

«Queste banconote sono la testimonianza di gente che s'è rovinata, la pensavo così. Ma sono passati anni. Adesso invece le guardo e non mi fanno nessun effetto».

«Pronti!» disse un impiegato dalla stanza e consegnò tre cassette di alluminio a Ruggero. Sopra ci poggiò il registro delle firme. «Consegno duemilioniottocentoventinovemilasettecento».

Oriana annuì. Firmò sotto gli scarabocchi dei contabili e Ruggero finalmente si incamminò per il corridoio. «Alla prossima» fece, ma l'impiegato triste e occhialuto neanche lo salutò. Oriana lo scortò fino all'imbocco del garage: «Buon viaggio, Ruggero».

«A presto».

Enrico lo aspettava sul retro del furgone sotto l'acqua. Si guardava intorno e aveva la fondina della pistola aperta. Le mani appese al giubbotto antiproiettile. Appena vide arrivare il collega aprì lo sportello e Ruggero depositò le cassette all'interno del blindato. «Cr4 a centrale, ci stiamo muovendo» disse Enrico alla radio che portava agganciata alla spallina salendo sul furgone dalla porta centrale. Poco dopo Ruggero lo seguì.

«Ricevuto Cr4» gracchiò la radio. «Autostrada libera statale lavori al terzo chilometro traffico alternato ma chiediamo precedenza».

Chiusero gli sportelli con la sicura. «Tempo schifoso. Che facciamo allora? Autostrada?» chiese Ruggero.

«Io dico statale. L'ultima volta abbiamo fatto la statale, quindi la rifacciamo. Si chiama passo del capitano zoppo». Accese il motore. Dentro il blindato c'era un caldo insopportabile e puzza di sudore e plastica.

«Hai ragione. Poi ci sono i lavori, chi penserebbe mai che prendiamo proprio quella strada?».

«Esatto, e poi a quest'ora traffico non ce n'è». Mise la retromarcia mentre il collega annusava l'aria. «Enrico, ma chi è che ha queste ascelle così pesanti?».

«Tutti, amico mio. Questo furgone puzzerà sempre di sudore e adrenalina! Si parte!» e si lasciarono il casinò di Saint-Vincent alle spalle.

«Vuoi fare un salto da me o devi lavorare?» gli chiese Lada guardandolo negli occhi.

«Possiamo provare a rinviare a stasera? Io devo tornare in questura».

La donna annuì appena, non sembrava delusa. Anzi a Rocco parve anche un poco sollevata, come se le avessero appena risparmiato un'incombenza. «Il caso non l'hai chiuso?».

«Quale caso?».

«Come quale caso? L'ho letto sul giornale, quello di Saint-Vincent, no? Lo sai? Guido non ci ha dormito al pensiero che il suo amico fosse stato trucidato in quel modo. Fra qualche giorno faranno la riunione di quelli del '48 senza Favre, e sarà una specie di serata alla memoria».

«Tu ci andrai?».

«Spero di evitarla. Non è che mi diverta molto».

«Per te è come andare a un circolo bocciofilo, no?».

La ragazza scoppiò a ridere. «No, non è così. Solo è un po' noioso, parlano di professori, amici che non conosco, gente che magari è anche morta».

«Già» disse Rocco, grave. Lada lo guardò e si morse le labbra. «Sì, vero, gaffe. Perché Michelini ha ucciso Romano Favre? Tu pensavi fosse quella signora, quella tale Cecilia Porta».

«Non l'hai letto sul giornale? Mi sbagliavo. È che l'amico del tuo compagno aveva scoperto un traffico di riciclaggio del denaro. Mo' la storia è chiusa e io me ne sto tranquillo in ufficio a fumare e bere caffè».

Lada annuì seria. «E per questo uno viene ammazzato?».

«Si uccide per soldi e per amore, non lo sapevi?».

«Tu Rocco? Uccideresti per amore o per soldi?».

Avrebbe voluto suggerirle di togliere pure il condizionale, ma non lo fece. Non conosceva Lada, due volte a letto insieme non davano diritto all'intimità, non potevano valere segreti inconfessati e tenuti nel buio di una cantina per anni. E allora mentì. «Io non ucciderei né per denaro né tantomeno per amore».

«Io per amore sì» rispose Lada. «Ma lo sai? Credo di non essermi mai veramente innamorata in vita mia».

«Non so se augurartelo. Innamorarsi vuol dire farsi carico di un sacco di rotture di coglioni che non hai idea. Starne lontani alla fine è meglio».

«E si può vivere senza innamorarsi mai?».

«Non lo so, ma credo di sì. Chiedilo a Guido».

«Lui mi ama».

«Ne sei certa, Lada Cenestajeva?» si stupì di aver azzeccato quel cognome scioglilingua al primo tentativo.

Appena messo piede in questura, l'agente D'Intino gli corse incontro pallido e con gli occhi fuori dalle orbite. Lupa scattò in avanti come se non volesse ascoltare le notizie e pensasse solo al suo divanetto al piano di sopra. «Dotto', finalmente, non rispondeva al cellulare».

«Che succede, D'Intino?».

«S'hanno fregate nu blindato».

«Rallenta, D'Intino, che stai dicendo?».

«Sono tutti lì, dobbiamo andare pure noi. È nu casino, dotto'» e cercava di spingere Rocco verso il parcheggio.

«D'Inti', calmati e spiegati. Che vuol dire che si sono fregati un blindato?».

«Un portavalori».

«Hanno fatto una rapina a un portavalori?».

«No no, dotto', s'hanno proprio fregate lu furgone tutto».

«Ma che cazzo dici? Come fanno a fregarsi un portavalori».

«Così è successo. Mo' andiamo, dotto', ci stanno aspettando».

«Dove andiamo?».

Sulla statale 26, poco prima di Châtillon, all'incrocio con via Plantin c'erano tre auto della polizia e due vetture con il logo della Assovalue. D'Intino frenò e Rocco scese, affrancato finalmente dalla compagnia coatta dell'agente abruzzese. Pierron e Casella stavano parlando con un uomo in borghese bassino sui 50 anni, accanto a loro una guardia giurata. La pioggia, che sembrava avesse concesso una tregua per qualche minuto, aveva ricominciato il bombardamento con gocce gelide e leggere. Rocco raggiunse il gruppo. «Dottore, un bel casino» fece Italo.

«Raccontami e sii chiaro, sono reduce da un dialogo surreale con D'Intino».

«Questo è il dottor Festaz...». L'uomo in borghese si fece avanti. Portava un paio di baffoni spioventi che gli coprivano la bocca e parte del mento e aveva le sopracciglia folte. Fu semplice per Rocco catalogarlo come uno Shih Tzu, antico cane cinese caro alla corte imperiale che nella mente dei suoi creatori doveva somigliare a un leone, almeno a quello dell'iconografia del tempo. Piccolo ma robusto, adatto alla vita d'appartamento, è sostanzialmente un cane da compagnia. «Piacere, Arnaldo Festaz». Rocco gli strinse la mano.

«Vicequestore Schiavone».

«Sono il proprietario della Assovalue». Poi Festaz allargò le braccia. «Non ci raccapezziamo».

«Neanche io se non mi dite che cazzo è successo».

«Un portavalori appena partito dal casinò municipale è sparito!» fece Italo.

«A questa curva, proprio qui» aggiunse Casella.

«Fatemi capire, come è sparito?».

«Sparito!» gridò il direttore della Assovalue pallido in volto e con gli occhi tondi allucinati. «Persi i contatti, l'allarme satellitare e tutti i gps. Fino a questa curva abbiamo il tracciato, poi come se la strada se lo fosse ingoiato».

«Quando è successo?».

«Sarà... un tre quarti d'ora...».

Rocco osservò la statale. «Dove era diretto?».

«Alla Carige ad Aosta».

«Cosa portava?».

«La valuta del casinò. Quasi 3 milioni di euro».

Rocco annuì. «Dottor Festaz, chi c'era a bordo?».

«Enrico Manetti alla guida e Ruggero Maquignaz come secondo».

«E si sono persi...» disse Rocco. «Non è che un blindato può spiccare il volo».

«No, e comunque pure se volasse con il gps lo rintracceremmo. Invece niente!».

«Quello in divisa si chiama Guido, è l'ultimo che ha parlato con il team» fece Italo indicando una guardia giurata. Rocco raggiunse l'uomo che stava appoggiato alla sua vettura con tanto di loghi e antenna al riparo sotto l'ombrello. «Lei ha parlato con i due della scorta?».

«Sissignore» fece quello, alto e robusto, neanche trent'anni. «Mi hanno dato l'ok per la partenza, hanno chiesto del traffico e di eventuali lavori in corso e poi una volta in auto mi hanno comunicato che avrebbero fatto la statale. Cambiamo spesso itinerario».

Rocco annuì. «E poi?».

«E poi niente. Persi i contatti radio, satellitari, tutto, dottore. Non si capisce».

Antonio Scipioni si avvicinò col passo affrettato e i capelli fradici. «Dottore...».

«Dimmi, Anto'».

«Ho chiesto ai vicini di quella casa» e indicò una palazzina di due piani rosa maiale. «L'unica cosa che hanno notato era un grosso camion giallo parcheggiato una ventina di metri dopo l'incrocio. Niente scritte, nessun logo. Giallo maionese».

«Allora non ce ne stiamo qui come dei coglioni!» gridò Rocco. «Casella e Antonio su un'auto, Deruta e D'Intino sull'altra, tu Italo vieni con me. Forza, diamoci da fare!» e Rocco si diresse alla macchina mentre D'Intino scattava verso quella di Deruta. «Dove andiamo?» fece Italo spiazzato da quell'ordine.

«Cerchiamo un camion giallo piuttosto grosso. Antonio e Casella: autostrada direzione Pont-Saint-Martin, D'Intino e Deruta prendete verso Cervinia su questa strada, io e te Italo proseguiamo verso Saint-Vincent... Antonio, chiama la centrale e fai allertare polstrada e municipale, fermare qualsiasi camion giallo, almeno un sette metri».

«Un camion?» chiese Casella.

«Certo Ugo, dove vuoi che sia finito un furgone portavalori? Forza, muoviamoci, se abbiamo culo lo becchiamo ancora in strada, lei invece...» schioccava le dita, non ricordava più il nome del direttore dell'agenzia.

«Festaz» suggerì l'uomo.

«Festaz, da lei voglio la lista dei suoi uomini addetti al trasporto dei valori del casinò. Usate sempre gli stessi due?».

«No, facciamo una turnazione».

«Muoversi!».

Viaggiavano a 50 chilometri orari. Non avevano incrociato neanche un camion. Superato Saint-Vincent salivano verso Pallù. I tergicristalli annaspavano. «Niente, qui non c'è un cazzo, Italo... tutti tornanti, la vedo difficile che un camion abbia preso questa strada, poi più saliamo peggio è. Lassù capace che stia nevicando. Scapperesti con un camion da queste parti con il rischio curve ghiacciate?».

«Direi di no, Rocco...». Ognuno scrutava dal proprio lato della carreggiata.

«Niente, torna indietro...» poi Rocco afferrò la radio. «Antonio? Dammi notizie».

«Abbiamo appena fermato un camion piuttosto grosso dopo Pont-Saint-Martin. Ma dentro ci sono solo mobili. Proseguiamo anche se, dottore, sull'autostrada camion ce ne sono a decine e noi siamo solo in due».

«Capisco... avvertita la polstrada?».

«Hanno messo posti di blocco ma per ora niente...».

«Voi tornate in questura e speriamo che qualcosa la prendano i colleghi».

«Ricevuto».

«Anche noi Italo, a casa. Qui non c'è più niente da vedere».

«Magari Deruta e D'Intino hanno trovato qualcosa».

«Quei due è già tanto se ritrovano la strada per tornare in questura. No, so' stato impulsivo, ma dovevamo tentare. Questa è gente organizzata. Ha fatto sparire un furgone portavalori in un camion, figuriamoci se non hanno previsto una fuga sicura».

Italo fece inversione. «È pazzesco. Ma come è possibile?».

«Dobbiamo immaginarci la scena. Ma io ti dico che per far salire un portavalori su un camion l'autista deve essere connivente, su questo non ci piove!».

Italo annuiva pensoso. «Quindi secondo te se troviamo quell'Enrico Manetti troviamo pure il camion?».

«Era lui alla guida? Io dico di sì».

«Detto fra noi, una rapina a un portavalori a che livello sta?».

«Nove pieno con andamento sinusoidale verso il nove e mezzo».

«Enrico Manetti, di anni 31, abita a Aosta, a via Capitano Chamonin col padre. È qui dietro, dottore» fece Antonio consegnandogli l'appunto con l'indirizzo.

«Casella, cosa ci racconti?».

«Quell'altro si chiama Ruggero Maquignaz, sta a corso Ivrea...».

«Allora io e Italo a casa di questo Enrico, Antonio e Casella andate da Maquignaz. Che si sa di lui?».

Casella scorse il foglio che teneva davanti: «Incensurato, 44 anni, vive solo, ha divorziato sei anni fa, da tanto lavorava per Assovalue. Niente di strano, dotto'...».

«Allora muoviamoci... Deruta e D'Intino sono tornati?».

Casella indicò il corridoio. Il duo avanzava con passo stanco e incerto. «Non ce la faccio a sentirli. Andiamo prima che comincino» fece Rocco recuperando il loden, ma la coppia era ormai arrivata alla porta. «C'eravamo vicini!» disse Deruta.

«In che senso?».

«Abbiamo fermato un camion giallo che trasportava furgoni, un bilancino. Ma erano tutti Fiat Ducato nuovi, andavano dal concessionario».

«Insomma dotto', niente portavalori».

«E perché dite che ci siete andati vicini?».

«Be', abbiamo trovato un camion giallo con sopra dei furgoni!» fece Deruta col tono di chi spiega un'ovvietà a un bimbo di sei anni.

«Allora, per prima cosa il bilancino è aperto, mentre noi cercavamo un camion chiuso».

«Come chiuso?».

«D'Intino, per far perdere le tracce gps e i segnali dei cellulari deve essere un camion piombato, isolato. Su questo sei d'accordo?».

«Sì...» e l'agente abbassò la testa.

«Adesso voi sapete cosa fate? Parlate con la stradale e cercate di capire se ci sono stati dalle parti della sparizione multe, fermi o altro ai danni di un camion diciamo da mezzogiorno e mezzo alle tre. Ve la sentite?».

«Certamente dotto'!» scattò Deruta.

«Bene. E quando avete fatto relazionate a Scipioni!».

«Perché a me?» chiese disperato Antonio.

«Già, perché? Semo più anziani noi! Quando ci stava la Rispoli allora vabbè, abbiamo ingoiato il rospo» disse D'Intino. «Insomma, quella era un viceispettore, no? Mo' la Rispoli non ci sta e allora perché dobbiamo relazionare a Scipioni?». S'erano offesi, era chiaro, bastava guardarli negli occhi.

«E allora relazionate a Casella. Lui ha più anni di voi!».

«Ma porca...» imprecò Ugo Casella fra i denti. D'Intino e Deruta lo guardarono, poi accettarono l'anzianità del collega annuendo all'unisono e sorridendo appena. «Shine, Casella va bene».

«Finito?» chiese Rocco. «Abbiamo tutti da lavorare. Forza» e si incamminò. Poi a metà corridoio si arrestò. «Ah, D'Intino e Deruta, una cosa. Quando un vostro superiore, e cioè io, vi dà un ordine, non è che potete mettervi a discutere. Mica stiamo in democrazia qui».

«No?» fece innocente Deruta.

«No. In questa squadra mobile adottiamo un sistema dispotico e piramidale che vede in cima il capo, cioè io, e giù alla base la bassa manovalanza grigia e silenziosa, cioè voi due. Per questa volta il vostro monarca è stato generoso, la prossima calci in culo e scattare. Sono stato chiaro?».

«Certo dotto'! Come il sole!».

«Je non so' capite niente».

«Usi obbedir tacendo e tacendo morir» recitò retorico Deruta.

«Quelli so' i carabinieri!» gridò Rocco dal fondo del corridoio.

«Come, è sparito con il blindato?» chiese Carlo Manetti coi suoi occhi azzurri intrappolati sotto una fronte bassa divisi da un naso schiacciato di chi da giovane aveva frequentato il ring. «Che state dicendo, non capisco».

«Suo figlio è sparito con il blindato mentre trasportava denaro dal casinò municipale ad Aosta» chiarì Rocco. Carlo si sedette su una delle sedie impagliate messe intorno al tavolo di legno. Le pareti una volta bianche ora erano sporche di fuliggine, ma il piccolo salone era ordinato con pochi mobili essenziali. Vicino alla finestra screziata dalla pioggia c'era un cavalletto con una tela. Accanto su una specie di leggio la foto di un gatto bianco e nero. Carlo lo stava ritraendo. «Io non capisco... mio figlio? Oh Madonna mia, e che cosa sarà successo?».

«L'ha visto strano in questi ultimi tempi?».

«Chiarisca strano, dottore».

Rocco prese posto davanti all'uomo. «Distratto? Nervoso? Usciva la sera senza dirle dove e quando tornava?».

«Mio figlio esce sempre la sera senza dirmi dove va e quando torna, ha 31 anni. E no, non l'ho visto nervoso. Sì, tempo fa si era lasciato con Eli, la sua fidanzata, ma sono cose normali, no?».

«Già» fece Rocco guardandogli le mani. Erano tozze e le dita sembravano rametti di un albero. «Lei lavora?».

«Lavoravo, una fabbrica di piastrelle. È fallita due anni fa. Mi arrangio da sempre con quello...» e indicò il cavalletto con la tela. «Faccio i ritratti ai cani e ai gatti. Mi pagano benone e mi piace...».

«È bello» disse Italo osservando l'opera.

«Grazie» rispose gentile e a Rocco parve arrossisse un poco sotto la barba lunga e bianca. «Dipingo anche paesaggi, ma non li vendo. Sapete chi mi ha fregato?».

«No...».

«Cézanne. Da quando vidi un suo Mont-Sainte-Victoire non ci ho capito più niente. Posso offrirvi del vino o del caffè?».

«Non si disturbi».

«Allora proviamo a chiamarlo!» disse Manetti e le iridi scintillando sprizzavano una luce quasi argentea.

«Ci abbiamo già provato, signor Manetti. Il cellulare di suo figlio è irraggiungibile come il gps del furgone».

L'uomo si passò le mani sul viso. «Che cosa è successo, Diobono!».

«Crediamo che il furgone sia stato caricato su un camion piombato e portato chissà dove».

Carlo aggrottò le sopracciglia. «E come... come è possibile?».

«Se chi guida è complice è un'operazione semplice, un po' come entrare in un garage» intervenne Italo.

«E chi guidava?» chiese timidamente.

«Enrico» rispose Rocco.

Il padrone di casa si alzò di scatto. «Venite» disse, e spalancò la porta del saloncino. Rocco e Italo lo seguirono. «Questa è camera sua. Cercate, qualsiasi indizio o traccia vi possa dare una mano prendetelo. Se ha fatto una cosa simile quello non è più mio figlio!».

Se la casa era arredata con pochi mobili, la stanza di Enrico era piena di cianfrusaglie. Una decina di vasi pieni di conchiglie su una mensola carica di fumetti della Marvel, quattro fotografie di donne ammiccanti in déshabillé sopra il letto, una piccola scrivania ricolma di carte, il letto era a una piazza coperto da un plaid scozzese. Un televisore di una quarantina di pollici si prendeva metà stanza, vomitava fili che finivano nella parete e in una consolle della PlayStation. Per terra decine di confezioni di videogiochi, calcio e automobilismo per lo più. Rocco cominciò a spulciare le carte, ma erano tutti bollettini di stipendi della Assovalue, un paio di multe da pagare, fogli con numeri di telefono appuntati.

«Scusate, Enrico è molto disordinato».

L'inno alla gioia di Rocco risuonò nella stanza. «Dimmi Antonio... Quando? Arriviamo!». Rimise il cellulare in tasca, poi guardò Carlo Manetti. «Suo figlio è stato ritrovato».

Il sangue defluì dal viso del padrone di casa che impallidì. «Diobono! Dove?».

«Non si preoccupi. Tutto bene. Prenda un'auto e ci segua».

«Non ce l'ho».

«E allora venga con noi».

Ci misero quasi un'ora proseguendo sulla strada della Valsavarenche che saliva verso il Gran Paradiso. Lassù la pioggia non cadeva. La corona di montagne azzurre ricoperte di boschi imbiancati dominava il paesaggio aggredita da prati soffocati dalla neve grassa. Spuntavano solo pochi tetti lontani coi comignoli fumanti, qualche pilone immerso nel manto candido e ricoperto sulla sommità di cupole di panna morbida. Le tracce di animali ricamavano le dune immacolate che brillavano alla luce diafana del pomeriggio che andava morendo. Lo spettacolo avrebbe mozzato il fiato a chiunque, tranne a Rocco Schiavone, che guardava la potenza e la bellezza della natura con gli occhi tristi di un cane abbandonato. «Che bellezza, vero?» fece Italo. «Queste sono le Alpi Graie, proseguendo dritti, a piedi si supera il Gran Paradiso e si arriva in Piemonte».

«Ma pensa un po'» disse Schiavone.

«Invece puntando verso ovest si raggiunge la Francia!».

«Te lo stai a tira', Italo».

«Cosa?».

«Uno sticazzi alto quanto 'ste montagne».

Carlo Manetti dal sedile di dietro guardava affascinato il paesaggio che lo aveva distratto dall'ansia di andare a scoprire cosa fosse successo al figlio.

«Sbagli. Una volta dovresti farci una gita, magari d'estate».

«Mi fa cacare, Italo» disse Rocco, «non ci vedo niente di straordinario. Neve ovunque e tanto, tanto disagio» e si accese una sigaretta.

«Mi chiedo cosa avrebbe fatto Cézanne» disse all'improvviso Carlo che stava inseguendo i suoi pensieri. «Lui era in Provenza, dove tira il mistral che pulisce tutto, i colori sono nitidi, gialli verdi rossi e marroni. Allora sì che puoi dare profondità, creare illusioni. E qui? Con tutto questo bianco? Ci credete? Lo dipingo da anni e ancora non l'ho capito!».

«Pare che gli inuit distinguano 60 bianchi diversi» affermò Italo, ma nessuno gli rispose.

«Infatti, Carlo, è meglio starsene in Provenza» fece Rocco, «dia retta. Ha mai sentito un impressionista che si sia ritirato in mezzo a 'sti monti? Le risulta che Van Gogh oppure Gauguin o Cézanne abbiano scelto di ritrarre 'sta roba?». Buttò la sigaretta dal finestrino. «Un motivo ci sarà, oppure no?».

«Boh» fece Carlo. «Io so solo che questo posto è magico».

L'ambulanza e l'auto della polizia erano ferme su una piazzola appena fuori da un tunnel. Italo rallentò, poi accostò. Rocco scese dall'auto. Un cazzotto gelato lo colpì alla gola. «'Cca troia» disse. La neve era alta una ventina di centimetri, le ruote dell'ambulanza erano sparite per metà. Avvicinarsi era un'impresa. «Antonio!» chiamò. Scipioni si avvicinò. «Sta bene, Rocco» gli disse a bassa voce. «È nell'ambulanza». Rocco si girò verso Carlo. «Tutto a posto, signor Manetti. Gli hanno portato i primi soccorsi». Poi mise i piedi in mezzo ai cumuli di neve. «Mannaggia alla puttana».

«Ma perché non ti metti almeno gli anfibi che abbiamo in dotazione?» chiese Antonio, ma la domanda precipitò nel mutismo del vicequestore. Enrico Manetti era seduto sul lettino mentre il medico era impegnato a misurare la pressione. L'avevano riparato sotto una coperta argentata. Aveva gli occhi socchiusi, le labbra viola ed era bianco come il paesaggio. Sulla tuta blu piena di stemmi della Assovalue c'era ancora polvere di neve. Dal cinturone mancava la pistola. «Se l'è rischiata» disse il medico. «Un'altra oretta all'addiaccio e si congelava».

«Ma che cazzo ci faceva qui?».

«L'ha trovato quello!» e Antonio indicò un vecchio con un cappello di lana cotta in testa e la pipa in bocca. Pareva una di quelle sculture di legno che affollano i negozi di souvenir e che Rocco detestava. «Stava tornando a casa e l'ha visto appoggiato al palo della luce. Svenuto».

«Tracce sulla neve?» chiese Rocco.

«Pieno. Dalla strada al pilone. Ho evitato di andarci sopra».

«Allora forza, Italo!» gridò, «chiama la Gambino e falla venire di corsa».

Italo annuì e scattò verso l'auto.

«Ce la fa a rispondere?» chiese Rocco, il medico scosse la testa: «Non credo proprio, dottore. È mezzo drogato» e alzò la manica della divisa indicando un puntino rosso sulla pelle nella piega del gomito sinistro. «Vede qui? Ago sicuro! Lo portiamo all'ospedale, magari stasera si sveglia. Pressione a posto e anche battito cardiaco. Direi che è fuori pericolo».

Enrico emise un gemito e provò ad aprire gli occhi, ma ci rinunciò tornando al suo dormiveglia chimico.

«Allora ci parlo lì... portatevi pure il padre». L'infermiere che era restato accanto al mezzo si mosse per raggiungere Carlo Manetti. «Va bene Antonio, manda a casa il fumatore di pipa e aspettami all'ospedale. Nessuno deve parlare con questo tizio». Antonio si allontanò. Rocco prese il cellulare: «Albe'?».

«Dimmi Rocco» la voce di Fumagalli era scattante ed energica.

«Ho bisogno del tuo aiuto».

«Lo so, dove vai senza di me?».

«Ascolta, abbiamo ritrovato un uomo mezzo drogato sulla strada. Non ti sto a spiegare, lo portano in ospedale, mi puoi fare un'analisi del sangue e capire che roba gli hanno iniettato?».

«Non ci possono pensare i medici di lì?».

«Io mi fido solo di te. Se fanno storie digli che hai il permesso del giudice Baldi e del questore. Fammi 'sto favore».

«L'ennesimo...».

Rocco sentiva lontana una voce femminile. «Sei in compagnia allora, non al lavoro».

«No no, sono al lavoro. C'è un'amica qui che sta parlando al telefono. Pare che debba andare su, verso il Gran Paradiso, l'hai cercata tu».

«Sei con la Gambino?».

«Embè? Voleva assistere a un'autopsia e siccome stamane avevo un cirroso le ho mostrato tutta l'operazione».

«Ve la spassate insomma...».

«A ognuno il suo. Considera fatto l'esame che hai chiesto e passo e chiudo...».

Rocco sorridendo si rimise il cellulare in tasca. Davanti a lui, a una decina di metri, c'era il palo della luce sotto il quale era stato ritrovato Manetti. Orme di scarponi sul manto nevoso partivano dal ciglio stradale in direzione del pilone. Erano profonde una decina di centimetri ma non riusciva a distinguere altro. L'ambulanza col suo urlo partì seguita dall'auto di Antonio Scipioni lasciando la piazzola. Poco dopo anche la Panda con dentro il vecchio fumatore di pipa la seguì. Italo s'era chiuso in macchina. Rocco restò solo nel silenzio più assoluto rotto dal gorgoglio lontano di un torrente e dal vento leggero che fischiava fra gli aghi di pino. Il freddo era secco, molto più sopportabile che in città. Alzò lo sguardo sulle montagne che incombevano sulla strada. Lo sguardo si perdeva, come nel mare pensò, ed era difficile stabilire le distanze. Bello come gli alberi piano piano sfumavano per lasciare i picchi calvi e bianchi. Se ci fosse stato il sole, avrebbe avuto davanti uno spettacolo indimenticabile. E per la prima volta dopo poco più di un anno gli venne voglia di correre in mezzo alla neve, mangiarla, rotolarcisi dentro invece che maledirla e ingiuriarla. Anche perché quella che aveva davanti agli occhi non era neve, era una panna dolce e soffice che l'avrebbe abbracciato. Dicono che quando si muore congelati ci si addormenta piano piano, intontiti, inconsapevoli che si sta passando dall'altra parte. Una morte dolce, pensò. Poi si rammaricò che una simile atmosfera gli suggerisse soltanto pensieri di morte, ma quello era il suo pane quotidiano, se fosse stato un pittore come Carlo avrebbe ragionato sulle tonalità di bianco, ma era un vicequestore e ragionava sulle tonalità del dolore.

Cecilia scendeva le scale leggera con l'ombrello appeso all'avambraccio. Dopo ogni incontro con la dottoressa Tombolotti aveva la sensazione di aver scaricato in quello studio tonnellate di scorie e non di aver fatto delle semplici chiacchierate. Meglio, dei monologhi in cui lei si apriva e vomitava tutto quello che le passava per la testa. Fino a dieci giorni prima raccontare cose così intime e segrete a un estraneo non le sarebbe parso possibile. Ma Sara Tombolotti aveva la qualità di chi sa ascoltare, pareva la conoscesse da sempre e parlare con lei era naturale come bere o respirare. Curioso come alla memoria le fossero tornati episodi che pensava di aver dimenticato per sempre. La gita scolastica alle medie, quando insieme a due compagne di classe avevano costretto Silvana a farsi la doccia perché volevano guardarle i seni che aveva grossi come pompelmi. O quando rubò a suo padre i soldi dal portafogli incolpando suo fratello. L'aborto a 19 anni e quella sera a Torino da Grazia, doveva essere Pasqua, quando provarono a fare le lesbiche baciandosi con la lingua e masturbandosi a vicenda. Sorrise al pensiero che Sara Tombolotti ne sapesse più della sua amica del cuore e dei suoi genitori. «Non stai rinunciando a niente» le aveva detto. «Tu pensi che non giocando più rinunci a qualcosa di importante, a una parte leggera e divertente della tua esistenza. Non è così. Ti stai solo liberando da una schiavitù, da un incubo». Il gioco non era un piacere, non era un passatempo, non era una scusa per distrarsi da una vita triste e senza grandi soddisfazioni. «Il gioco è un carcere. Uscirne significa riacquistare la libertà». Sara aveva ragione, si trattava di vedere tutto sotto un altro punto di vista, cambiare la prospettiva. «Tu Cecilia hai una malattia e non devi coccolarla né tenertela. Devi scacciarla. Solo così, curandoti, torni a essere una persona sana e libera». Aveva ragione, ragione da vendere, pensava, ma non era così semplice. Doveva spezzare gli automatismi, pensare al gioco come a una trappola, soffrirne, non accarezzarlo. Aprì la doppia porta e si ritrovò nella hall. Seduto su una panca proprio davanti a lei c'era il vicequestore Schiavone. Piegato in avanti, i gomiti sulle ginocchia, teneva il mento poggiato sulle mani perso nei suoi pensieri. Accanto a lui un uomo coi capelli e la barba bianchi, anche quello immobile, con lo sguardo fermo su un punto davanti a sé. Non sapeva se andare da lui, salutarlo oppure tirare dritto. Preferì ignorarlo e infilare l'uscita.

Bene, si disse Rocco, Cecilia continuava le sedute con la Tombolotti, era una bella notizia e sicuramente una prima vittoria. Non l'aveva salutato ma era giusto così. Ne aveva di cose a cui pensare Cecilia, riflettere sulle parole della psichiatra, e stare da soli era la scelta migliore. Lui invece aveva fame. A parte un caffè e una pasta da Ettore, non aveva ingoiato altro. Lo stomaco brontolava e sentiva le palpebre pesanti, oltre al solito dolore alla schiena che sembrava non volergli dare tregua. La giornata era ancora lunga e gli veniva da piangere al solo pensiero di dover ascoltare ancora la relazione della Gambino e capire se Fumagalli era riuscito a fare le analisi sull'autista del blindato. Italo tornò con tre caffè presi al bar. Ne diede uno a Rocco e l'altro a Carlo Manetti. Rocco ci bagnò appena le labbra. Sapeva di acqua sporca.

«Novità?» chiese Italo.

«Mi hanno mandato la lista delle guardie addette ai trasporti valuta. Ce l'ho nel telefonino. Sono tre coppie che si alternano. Manetti e Maquignaz avevano fatto l'ultimo trasporto del casinò un mese fa...» e schifato finì con un sorso la poltiglia nerastra.

«La situazione è strana, non pensi?».

«Direi di sì. Allora...» si alzò accartocciando il bicchierino di plastica, «siccome il vicequestore s'è rotto i coglioni ha deciso di andare da Enrico Manetti! Signor Carlo...».

«Mi dica».

«Vado a parlare con suo figlio. Lei stia pure qui tranquillo...».

Quello sorrise annuendo e riprese a bere il suo caffè. «Speriamo tutto bene».

«Suo figlio sta benissimo» disse il vicequestore, che a passo deciso si era avviato verso il pronto soccorso. Italo lo seguì cercando di finire in fretta il suo espresso bollente. Rocco bussò con le nocche direttamente alla porta a vetri. Gli aprì un infermiere. «Dica...».

«Vicequestore Schiavone, Polizia di Stato» scansò l'uomo e seguito da Pierron entrò nel pronto soccorso.

«Veramente qui...» provò a protestare l'uomo, ma per tutta risposta Rocco gli mollò il bicchierino di plastica accartocciato. «Faccia il favore che non ho trovato manco un cestino dei rifiuti».

Italo ne approfittò per consegnargli anche il suo. Alla terza porta finalmente Rocco trovò l'autista. Steso su un letto, guardava il soffitto con gli occhi vuoti. Una flebo al braccio destro e un monitor sopra la testa con numeri e lucine intermittenti. «Enrico Manetti?».

Quello ebbe un sussulto, poi si voltò verso Rocco. «Sono io...».

«Lo so che è lei. Se la sente di rispondere a un paio di domande?».

«Che fate qui?» la voce stridula risuonò nella stanza. Rocco si voltò. Accanto a Italo era apparso un medico. Basso, col camice perfettamente stirato, aveva gli occhiali da vista più grossi che il vicequestore avesse mai visto e un paio di baffetti da topo. «Vicequestore Schiavone, io devo parlare con questo signore».

«Le avevamo detto di aspettare che...».

«Non ho tempo. E questo mi sembra in grado di intendere e di volere».

«È un dottore lei? No, è un poliziotto, quindi lasci giudicare a noi se può parlarci o meno».

«Senta, dottor...?».

«Giannizzeri».

«Senta, dottor Giannizzeri, la mia giornata è stata una merda, non ho voglia di discutere con lei quindi glielo chiedo gentilmente: mi faccia fare tre domande a 'sto tizio e poi mi levo di torno. Gliene sarei grato».

Più che la gentilezza fu la fermezza del tono che convinse il medico. «Va bene, tre domande».

Rocco ringraziò con un cenno del capo, uno sguardo d'intesa con Italo e finalmente tornò a guardare Enrico: «Allora signor Manetti, mi racconta cos'è successo?».

Quello si leccò le labbra secche. «Guidavo il blindato quando all'improvviso ho sentito una cosa fredda qui, proprio qui» alzò il braccio e con l'indice si toccò la tempia. «Era una pistola e la teneva in mano il mio collega... Ruggero».

«Ruggero Maquignaz?».

«Sì, esatto. Mi fa: alla prossima curva prendila. Dottore, io me la stavo facendo sotto. Ho capito subito che cosa stava succedendo ma mi creda, una pistola puntata alla testa fa paura».

«Immagino. Poi?».

«Terza domanda» intervenne Giannizzeri.

«Poi ho preso la curva. Davanti a me c'era un camion enorme, giallo mi pare, con il retro aperto e due... come si chiamano?, due specie di scivoli... insomma io freno e lui mi dice: sali sopra. Io cerco di dire qualcosa ma quello preme la pistola ancora di più e alza il cane. Aveva gli occhi iniettati di sangue, sembrava un altro, drogato... anzi no, posseduto, ecco. Allora con calma salgo sul camion. Spengo il motore. Lui mi fa: Bravo! Poi qualcuno ha chiuso i portelloni posteriori e il camion è partito. Io non sapevo che fare, mi creda... lui all'improvviso mi ha messo una cosa in faccia che puzzava e dopo qualche secondo non ci ho capito più niente. Sono svenuto e mi sono risvegliato in mezzo alla neve, con un infermiere vestito di arancione che mi dava schiaffetti sul viso...».

«Visto? Tre domande!» fece Rocco. «Grazie Manetti, si rimetta. E grazie anche a lei per la pazienza, dottor Giannizzeri».

«Si figuri, quando si può dare una mano».

I due poliziotti insieme al medico uscirono dalla stanza. «Lei è stato molto gentile, dottor Giannizzeri. Ma avrei un'ultima richiesta».

«Dica» rispose il dottore.

«Ho bisogno degli abiti della vittima. Li devo portare in questura».

Giannizzeri lo guardò senza capire. «Gli abiti?».

«È la procedura. Vede, quando da voi arriva un malato che cosa fate? Le analisi, no? Sangue, urine, tac, raggi X. Faccia conto che la vittima di una violenza per noi della polizia è un malato e le analisi le dovremo pur fare, no?».

«Ah, sì, chiarissimo» fece il medico. «Sono in quell'armadietto».

«Italo!».

Pierron scattò a recuperare gli oggetti.

Antonio Scipioni sotto l'ombrello che lo riparava dall'acqua scrosciante attendeva Rocco sul piazzale davanti all'ospedale.

«Antonio! Notizie di quel Maquignaz? Insomma l'altra guardia?».

«Niente, nessuno l'ha visto da ieri, ovviamente nessuno l'ha visto oggi. Abbiamo contattato la ex moglie, Simonetta Cescon, che ha detto, testuali parole...» prese dalla tasca il taccuino e lesse: «Quel mona de Ruggero xe uno che ciapa i cassi per attaccapanni. Credo sia di origini venete».

«Il senso è piuttosto chiaro. Vogliamo andare a farle una visita?».

«Abita in provincia di Padova».

«Allora non mi pare il caso. Avrà degli amici 'sto Ruggero?».

«Frequentava una palestra a Sarre...».

«E facciamoci un salto... Italo, consegna i vestiti di Manetti a Antonio. Fa' il favore, Scipioni, portali alla Gambino e dille di analizzarli».

«Spero di uscire sano di mente dal covo di quella pazza». Afferrò la busta di plastica e si allontanò.

«Ma veramente è la procedura?».

«Per niente, Italo, ma più cose sappiamo meglio è. E da quando ti preoccupi delle procedure?».

Davanti alla vetrata del pianoterra erano schierati i tapis roulant e le cyclette. La sala pesi alle spalle delle attrezzature cardiovascolari era affollata di gente, soprattutto uomini. In canottiera e maglietta, nonostante la temperatura fuori sfiorasse gli zero gradi, alzavano quintali di dischi di ferro sudando e tremando. Poi una volta in piedi si osservavano con attenzione allo specchio. La maggior parte aveva i capelli rasati a zero oppure non li aveva proprio. Su bicipiti e tricipiti sudati e gonfi guizzavano tatuaggi. Nomi in corsivo, foglie di acanto, draghi, pesci, farfalle. C'era un odore di plastica mista a sudore e menta. Rocco e Italo guardavano gli atleti attraverso il vetro come fossero in un acquario, percepivano solo i tonfi dei pesi sul pavimento e la musica che pompava i bassi a tutto volume. Daniele, il proprietario della Body Care, li aveva accolti in un salottino con due macchine distributrici di acqua e strani intrugli energetici. «Sì, Ruggero ogni tanto veniva qui, ma faceva soprattutto cardio». Indossava una tuta larga riempita dai chili di muscolatura. Le sopracciglia tagliate ad ala di gabbiano e gli occhi con le palpebre mezze calate gli davano l'aria di un trans assonnato. Aveva il viso ricoperto di strani foruncoli sottopelle, segno che l'alimentazione puntava più che altro al rigonfiamento della massa muscolare. Teneva in mano una bottiglia di plastica trasparente con un liquido marrone fango. Ogni tanto si attaccava alla cannuccia infilata nel tappo e aspirava il contenuto poltiglioso. «Un paio di volte alla settimana, non era un assiduo frequentatore» osservò Italo.

«Aveva amici qui in palestra?» gli chiese Rocco.

«Guardi, commissario».

«Vicequestore» lo corresse Rocco alzando gli occhi al cielo.

«Ah sì scusi, vicequestore, che io sappia no. Era un tipo piuttosto riservato. Ogni tanto scambiava due chiacchiere con me o con qualche altro cliente, ma niente di che. Si parlava del matrimonio, credo sia divorziato, del lavoro. Trasportava valuta, no?».

«Esatto».

«Lavoro duro» commentò Daniele.

«Peggio il poliziotto» intervenne Italo.

«Io volevo entrare in polizia. A vent'anni ero un decatleta, poi ho aperto questa palestra...».

«Non s'è perso niente».

Nel salottino entrò un bestione di un metro e novanta. La maglietta a malapena conteneva i pettorali e i bicipiti. Un orecchino d'oro al lobo destro, guanti neri senza dita alle mani, andò alla macchinetta e prese una bottiglia d'acqua. «Paolo, stavamo parlando di Ruggero...».

«Chi?» fece quello svitando il tappo.

«Maquignaz... la guardia giurata».

«Ah sì, che gli è successo?» fece il gigante. Aveva una voce cavernosa.

«Ce lo siamo perso» fece Schiavone, «insieme al portavalori».

Paolo rimase a bocca aperta. «Cioè mi state dicendo che ha fatto una rapina? Ruggero? Ma quello non ha le palle neanche per sparare i petardi a Capodanno... io non ci credo». Rocco lo osservò. Lo aveva già visto da qualche parte, ma dove? Anni prima aveva conosciuto un vecchio regista della Rai, un uomo colto e posato, a una cena raccontò un aneddoto che da sempre gli era rimasto nella memoria. Il regista aveva studiato tanti anni prima al Centro Sperimentale di Cinematografia. Giovane insieme ad altri ragazzi con la passione per la settima arte, avevano appreso con un'eccitazione sovrannaturale la notizia che il grande Alfred Hitchcock avrebbe tenuto un seminario di pochi giorni. Si prepararono all'incontro. Il mostro sacro arrivò accompagnato dal traduttore e prese posto in cattedra nel silenzio più totale. Impeccabile in giacca e cravatta guardò i dieci allievi ipnotizzati. «There are two... Ci sono due cose importanti per chi vuole fare il regista». Hitchcock si era chiuso la giacca nascondendo la camicia alla classe. «First... La prima è la cultura... la seconda è la memoria visiva. Qualcuno di voi sa dirmi di che colore ho la cravatta?».

Nessuno aveva alzato la mano. Nessuno aveva risposto. L'autore di *Notorius* e *Vertigo* si alzò in piedi. «Spero abbiate almeno una buona cultura» e uscì dall'aula per non tornarci mai più. Quel breve episodio scavò in Rocco la certezza che per un poliziotto servissero le stesse doti. Sulla cultura zoppicava, ma la memoria visiva l'aveva; solo non riusciva a ricordare dove avesse incontrato il viso di quel gigante con l'orecchino d'oro.

«Insomma» fece Paolo, «Maquignaz è un tipo tranquillo. Proprio non ce lo vedo invischiato in una rapina...».

«Eppure è così» disse Italo.

«A lei non ha mai detto niente?» gli chiese Rocco.

«Dottore, a me no. Lo conoscevo appena. Quattro chiacchiere qui in palestra, mi ricordo che aveva problemi con la moglie, mi pare... Un tipo anonimo».

«Ma lo sai com'è la vita» intervenne Daniele, il proprietario della palestra, «ti ricordi dell'omicidio a Champoluc? L'avresti mai detto che c'era di mezzo la vedova?».

«Vero... Luisa Pec mi pare si chiamasse» commentò Paolo. «Pure quella brutta storia, vero?».

«Non lo dica a me» fece Schiavone. Si alzò dalla sedia di metallo. «Posso contare sulla vostra assoluta discrezione?».

«Certo...».

«Se sentite qualcosa su Ruggero, qualsiasi dettaglio anche insignificante, contattatemi in questura. Vicequestore Rocco Schiavone».

«Sarà fatto».

Rocco salutò i due energumeni e lasciò la Body Care.

Fuori la notte era calata insieme alla temperatura. «Torniamo in questura?» chiese Italo.

«Sì...».

I due poliziotti si avviarono. «Cos'hai?» chiese Italo, «a cosa pensi?».

«Penso che il gigante sappia più di quello che dice di sapere... non lo so, è solo una sensazione. E io l'ho già visto...».

Intorno al tavolo della direzione del casinò avevano preso posto Oriana Berardi, il vicepresidente Attilio Noè e l'assessore regionale Biagio Restaz, che sembrava sedesse su una poltrona bollente, dal suo viso traspariva un misto di imbarazzo e nervosismo che stava contagiando anche gli altri colleghi della casa da gioco. Rocco a capotavola guardava i documenti che gli avevano consegnato all'inizio della riunione. «Il trasporto era programmato per oggi da tempo?» chiese.

Lasciarono la parola ad Attilio Noè. «Sì, abbiamo deciso uno spostamento ogni quindici giorni per motivi di sicurezza».

Rocco fece una smorfia ironica che non sfuggì a Oriana. «Dunque questi sono i nomi delle persone che controllano i liquidi del casinò e che hanno fatto la conta per consegnarli nelle mani della Assovalue?».

«Sì dottore» rispose Oriana, «c'ero anche io. La pratica si è svolta normalmente, come sempre».

«Quasi tre milioni di euro sono una bella somma. Più o meno è una cifra regolare?».

Noè guardò Restaz prima, la Berardi poi, infine si decise a rispondere: «Non proprio. È un ammontare piuttosto importante. Diciamo che normalmente viaggiamo su cifre meno consistenti».

Rocco scambiò un'occhiata con Italo che sedeva dietro di lui, come una guardia del corpo. «Quante persone erano a conoscenza della cosa?».

«Noi tre e i ragionieri al caveau».

«Che immagino siano persone fidate».

«Mano sul fuoco!» assicurò l'assessore.

«Certo, ne converrete, una coincidenza un po' strana» fece Rocco, «voglio dire, proprio il giorno di un trasporto eccezionale questa banda agisce e ruba i soldi».

«Io un'idea me la sarei fatta» intervenne Oriana. «Se come ci diceva prima, dottor Schiavone, è probabile un coinvolgimento della società trasporto valuta, mi viene da pensare che aspettassero solo il momento buono per agire».

«In pratica?».

«In pratica le guardie conoscono l'ammontare del trasporto. Se erano già pronti hanno dato il via all'operazione all'impronta».

«Ricapitolando...» Rocco ripiegò i fogli con la lista di nomi, «lei crede che i banditi aspettassero solo l'occasione giusta e che a ogni trasporto in realtà erano pronti al furto?».

«Sì, è un'ipotesi valida».

«Però c'è un ma» disse Rocco a Oriana una volta fuori dall'ufficio. «Le coppie addette al trasporto del casinò sono tre, e questi due hanno fatto l'ultimo viaggio un mese fa. Una coincidenza strana che proprio al loro turno ci fosse il trasporto con la somma eccezionale, non pensa?».

«Sì, in effetti una coincidenza...».

Italo scendeva le scale una decina di metri avanti a loro.

«Insomma ci si rincontra» le disse Rocco. Oriana Berardi sorrise appena. «Già, e io che speravo dopo la storia dei riciclatori di non rivederla mai più».

«Lo so, lei è una donna con una vita tranquilla, aspetti, come mi disse? Che somiglio a una bora triestina, e che lei non è attrezzata ad affrontarla».

«Ha buona memoria, vicequestore».

«Mi sta succedendo una cosa curiosa. Tendo a perdere quella fotografica, invece le parole mi rimangono impresse. È la vecchiaia?».

«No. Se qualcosa la interessa, vuole scommettere che se la ricorda?».

«Non è così. Io per esempio ricordavo che lei aveva i capelli più chiari. E invece ora è bruna».

Oriana si passò una mano aggiustandosi la chioma. «Mi piace cambiare».

«E non c'è mai un secondo fine? Intendo, in un taglio di capelli?».

«No» Oriana rise, «semplicemente mi è venuto a noia il viso. A lei viene mai a noia il suo viso?».

«Ogni giorno da quasi cinquant'anni...».

«Tornando alla rapina... lei, vicequestore, un'idea se l'è fatta?».

«Potrei condividerla con lei, solo se fossi sicuro al cento per cento di potermi fidare».

«E allora dica».

«Buona giornata, Oriana» e dopo una strizzatina d'occhio la lasciò davanti alla porta di cristallo.

Il freddo pungente costrinse Rocco ad alzarsi il bavero del loden senza ottenere risultati apprezzabili. Italo aprì l'ombrello. «Ma non li fanno imbottiti?».

«Cosa, Italo?».

«I loden...».

«No. I loden non li fanno imbottiti. Torniamocene in questura... guidi tu».

Rocco scattò fregandosene della pioggia, Italo invece riparato sotto l'ombrello arrivò con tutta tranquillità.

«Posso farti una domanda, Rocco?» gli chiese una volta dentro.

«Sicuro».

«Ma tu hai più avuto notizie di Caterina?».

«Io no. Tu invece mi sa che sei andato a spulciare come fai sempre, dimmi la verità».

Italo accese il motore. «Una sola occhiata. Risulta in forze ad Ascoli Piceno».

«Be', mica male. Se magnerà le olive ascolane».

Italo partì a razzo. «Però...».

«Cosa?».

«Io ho chiamato la questura. Il viceispettore Rispoli non c'era. E a dirtela tutta ho avuto la sensazione che il collega non sapeva neanche di cosa stessi parlando».

Rocco si accese una sigaretta. «Italo, posso darti un consiglio?».

«Certo, potresti essere mio padre».

«Fottiti. Il consiglio è questo: non mettere il naso in quella storia. Te lo bruci».

«Perché?».

«Perché io non ho ancora chiaro a che tavolo giochino Caterina Rispoli e i suoi capi. E comunque abbiamo toccato con mano, neanche troppo tempo fa, che è un tavolo pericoloso. Più di quelli che frequentavi col poker».

Italo deglutì. «Ma... fa parte dei servizi?».

«Difficile che un agente di polizia ancora in servizio faccia parte dell'Aisi. Non lo so. Stanne fuori, hai già una vita incasinata, non aggiungere carne al fuoco».

Italo all'improvviso sorrise: «Cioè, io mi sono scopato una spia? Una specie di 007?».

«Te sei scopato un'infame, più che altro. E credimi che quella gente non ha niente a che fare con James Bond, smoking, champagne e Aston Martin».

«Tu ci pensi ancora?».

«No. E comunque me l'hai chiesto pochi giorni fa, se ti ricordi bene... No, Italo, non ci penso, non me ne frega niente, ora cerca di sbrigarti a portarmi in questura e dammi una sigaretta» e gli infilò la mano nella tasca mentre l'agente accelerando sulla corsia di sorpasso dell'autostrada alzò una nuvola d'acqua.

«Festaz, io le tolgo la licenza!» urlava il questore in faccia al proprietario della Assovalue. «Quasi tre milioni di euro richiedono tre guardie! Non due, tre!» e gli piantò tre dita della mano sul volto.

«Ma signor questore» balbettò Festaz, «secondo

l'ordinanza i valori che viaggiano nelle cassette con il dispositivo che macchia...».

«Non me ne frega niente, Festaz! Se fossero stati in tre a quest'ora io ero a casa e lei aveva ancora un'azienda!».

Bussarono alla porta. «Avanti!» gridò Costa. Schiavone si affacciò: «Permesso...».

«Venga Schiavone, lei Festaz può andare».

Il direttore con le orecchie basse mormorò un saluto al vicequestore e provò a uscire dall'ufficio. Rocco lo fermò: «Solo un momento».

Il proprietario della Assovalue si congelò.

«Mi dica una cosa. Come vengono decisi i turni di scorta?».

Festaz sbatté le palpebre un paio di volte. «Be', ci sono da considerare i riposi, gli aggiornamenti, i tiri al poligono...».

«Più o meno?».

«Diciamo che io mi fido dei miei uomini. Per esempio oggi erano liberi Maquignaz e Manetti e pure Colajanni e Cuomo. Il lavoro al casinò sembrava più semplice e Maquignaz per anzianità ha diritto ai trasporti più leggeri. Agli altri è toccato restare a disposizione per il pomeriggio, c'era un trasporto gioielli dall'aeroporto Caselle ad Aosta».

«Grazie... può andare». Festaz salutò ancora Rocco, un leggero inchino al questore e si chiuse la porta alle spalle.

«Ma o belin!» sibilò Costa sbattendo un faldone sulla scrivania. «Lei non sa che casino è questo».

«No dottore, lo so».

«No, non lo sa». Afferrò un foglio e lo passò a Rocco.

«Che roba è?».

«Polizia tributaria. Quelli di via Clavalitè stanno indagando sui conti del casinò. Si prospetta un danno allo Stato di diversi milioni di euro».

Rocco leggeva la circolare passandosi la mano fra i capelli. «Baldi l'aveva già avvertita, mi sembra. Qui dobbiamo andarci coi piedi di piombo».

«Praticamente dottore cosa succede?».

«Tramite mutui e ricapitalizzazioni all'acqua di rose c'è un gruppo di delinquenti fra casinò e Regione che pare si freghi un sacco di soldi ogni anno. Ora se lei voleva trovare il mandante dell'omicidio Favre forse ce l'ha! Va cercato fra i colletti bianchi».

Rocco restituì il foglio al questore.

«Inutile dirle che queste sono notizie riservate, Schiavone».

«Inutile, certo».

Costa crollò sulla sedia. «Forse Favre aveva capito qualcosa e l'hanno messo a tacere».

«Non quadra» disse Rocco. «Non quadra proprio».

«Cosa?».

«Cosa ci fa un croupier in mezzo all'omicidio? Che vive in una casa normale, una vita normale, che non ha contatti coi vertici del casinò e della Regione? Non le sembra una coincidenza curiosa che ci sia stata quella rapina al portavalori?».

«E proprio quella ci mancava! Ora lei deve indagare su quella storia schifosa, mentre la finanza sta andando cauta in mezzo alle carte del casinò. Capisce il motivo per cui sono così incazzato?».

«Ma io mi muoverò in punta di piedi».

«Lei ha il tatto di un ornitorinco, Schiavone. Rischia di alzare un polverone che manderà a farsi benedire le indagini della tributaria. Glielo dice lei in procura?».

«Chi ha in mano il caso?».

«Il pm Silvia Civiletti, risponde direttamente alla Corte dei Conti».

Rocco annuì grave. «Un bordello».

«Già».

«Dottor Costa, io le prometto che la tributaria neanche si accorgerà di me, perché vede?, io sono convinto che l'omicidio Favre abbia a che fare con questa rapina. Come ancora non lo so, ma la cosa ha quell'odore lì».

«Supposizioni, lei con questa storia degli odori e delle puzze ha rotto le scatole. Mi stia a sentire, Schiavone. Voglio che vada in procura, parli con il magistrato e possibilmente anche con Baldi e concordiate l'azione. Se fosse per me fermerei le indagini sul furto, tanto i soldi sono assicurati, e andrei dritto al pesce grosso».

«Sono le otto di sera. Facciamo domani?».

«No, facciamo adesso!».

A quell'ora gli uffici della procura erano deserti. Rocco seguito da Lupa saliva le scale per raggiungere il piano di Baldi. Si sentiva solo la pioggia martellare i vetri e la strada. Odiava quell'ufficio freddo e inospitale, i corridoi con brutte stampe alle pareti puntellati di piccoli divani in similpelle che non ospitavano mai nessuno, l'odore di polvere e cera per pavimenti che lo prendeva alla gola. Le porte misteriose sempre chiuse tranne quella di Baldi. Bussò appena sul legno affacciandosi. Il magistrato lo stava aspettando seduto alla scrivania, giocherellava con una penna. Davanti a lui c'era una donna sui 40 anni che si voltò ruotando la poltrona. Aveva lo sguardo duro, gli occhi neri e i capelli biondi corti alle orecchie. Lupa si scaraventò subito sul tappeto e cominciò a massaggiarsi la schiena. «E questo cane?» fece la donna. Baldi indicò a Rocco la poltroncina libera: «Silvia, ti presento il vicequestore Rocco Schiavone. Schiavone, questa è la dottoressa Silvia Civiletti». La donna non si alzò limitandosi a tendere la mano che Rocco strinse. Le fece un sorriso, quella invece restò seria. «I cani non potrebbero entrare qui dentro» disse.

«Lo so» rispose Schiavone e si sedette. Baldi fece cenno alla collega di soprassedere.

«Allora, il questore credo l'abbia avvertita».

«Dieci minuti fa».

«Mi pare che in ballo ci sia qualcosa di più importante di due milioni e...» Baldi controllò un appunto su un taccuino, «... ottocentoventinovemilasettecento». Alzò lo sguardo su Rocco.

«Non è tanto l'ammontare del furto» fece il vicequestore, «ma vedete? Io lo so che l'omicidio di via Mus è legato alla rapina».

Baldi si stampò il sorrisetto sarcastico sul viso. «E cosa glielo fa pensare?».

«L'odore».

Silvia Civiletti sbuffò. «Senta Schiavone, lei indaghi, guardi, annusi, insomma faccia come meglio crede. Solo lasci stare il casinò. Lo consideri off limits».

«Un po' difficile dal momento che i soldi rubati erano del casinò e che il nocciolo di tutta la storia sta proprio lì».

«Non mi interessa» continuò il magistrato. «Quello che stiamo facendo è più importante di una rapina».

«E di un omicidio?».

«Lei continua a vedere le due cose correlate» fece Silvia Civiletti, «ma il suo è solo un sospetto. Noi invece stiamo su qualcosa di molto concreto, mi creda. E quello che io e il dottor Baldi le stiamo chiedendo è...» si sporse verso Rocco, «evitare il casinò. Non mi pare di essere troppo criptica».

«Lei è un cristallo puro, dottoressa Civiletti».

«Non mandi a puttane un anno e mezzo di indagini» intervenne Baldi. «Questo le stiamo chiedendo».

«Capito. Allora vi faccio una proposta».

I due magistrati si misero in ascolto.

«Io proseguo con il mio lavoro fuori dalle mura del casinò. Se dovessi avere bisogno di entrarci dentro, lo chiederò a voi».

Civiletti e Baldi si guardarono interrogandosi con gli occhi.

«Mi spiego. Di qualsiasi informazione, nome o quant'altro dovessi aver bisogno, me la fornite voi».

«Dottor Schiavone» disse Civiletti con una tranquillità artificiosa, «ha visto come piove lì fuori?».

«Sì...».

«Faccia conto che fra poco arriveranno avvisi di garanzia come un temporale».

«La mia collega sta cercando di dirle che si scatenerà un inferno».

«Avevo colto la metafora».

«E allora, per amor di metafora, cerchi di non pisciare fuori dal vaso» si raccomandò Baldi.

«Non vi preoccupate, ho ancora una buona mira».

Tornava a casa stretto nel loden col freddo che si intrufolava nel collo e nelle maniche, riparandosi appena sotto un ombrellino da 5 euro che aveva già perso una stecca. Inutile tenere la mano in tasca, inutile anche alzare il bavero. La piazza era illuminata dai neon dei negozi chiusi e dai grandi lampioni. Le gocce di pioggia passavano come tante stelle cadenti nei fasci di luce. Lupa gli stava attaccata, anche lei sembrava non avesse voglia di correre, teneva il passo, muso dritto orecchie stirate indietro e il pelo zuppo d'acqua. Il vicequestore alzò gli occhi per guardare il cielo ma era coperto, nuvole basse, nessuna speranza di un raggio di sole per l'indomani. Avrebbe continuato a piovere. Pensava al lavoro che stavano facendo in procura, la tributaria con gli occhi puntati sul casinò. Poteva davvero essere quello il motivo dell'omicidio di Romano Favre? La storia continuava a non convincerlo. L'Italia è un paese corrotto, e Rocco come qualsiasi cittadino italiano ne era certo. Nessun politico o dirigente sarebbe mai ricorso a un omicidio per tenere nascoste le proprie magagne. Il vicequestore sapeva che quelli erano delinquenti dalle mani bianche, da salotto, bustarelle e champagne, uomini e donne che una volta entrati nelle patrie galere, cosa rarissima, accusavano malanni fino ad allora neanche immaginati. Nessuno di loro ha mai pensato di poter finire dentro, è un paese immunitario questo, pochi pagano e spesso anche per brevi periodi, a casa o ai lavori socialmente utili, quando si riesce ad arrivare all'ultimo grado di giudizio. No, politici e dirigenti non sentono l'odore del carcere, sguazzano tranquilli in uno stagno fatto apposta per loro, un paese a loro misura. Non hanno bisogno di ammazzare un testimone scomodo, preferiscono pagarlo, questo Rocco lo aveva imparato già dal primo anno in polizia. L'omicidio di Romano Favre era legato alla rapina, più passava il tempo più se ne convinceva. In tutta la faccenda però c'era un suono rotto, una nota stonata, come da un bicchiere incrinato che non riesce più a tirar fuori il suono cristallino.

Lada.

La donna restava un'incognita. Aspettava una sua telefonata, ma il loro rapporto s'era complicato. Perché c'era finito a letto? Perché era bella. Ma le domande della russa sul caso Favre, l'interesse e la gentilezza del suo compagno, il vecchio amico della vittima, quel Guido Roversi detto Farinet, davvero era spinto solo dalla voglia di aiutare le forze dell'ordine a trovare il responsabile dell'omicidio di via Mus?

Che cazzo vai pensando, si disse. Ormai vedeva doppi giochi dappertutto, la cicatrice dell'ustione di Caterina Rispoli ancora pulsava sotto la pelle.

Il telefono gli squillò. Era Brizio.

«Amico mio, che mi dici?».

«Ancora niente, Rocco. Qui non si muove 'na paja. Che è 'sto rumore?».

«Pioggia... Ah, senti un po'...».

«No, senti tu!» lo interruppe l'amico. «Scendi a vedere la Roma?».

«Ma quando mai io scendo a vedere...».

«Settimana prossima è il compleanno di Stella, magari t'andava di festeggiare con noi».

Che stava dicendo Brizio? Stella era nata ad agosto. «Il compleanno?».

«Eh...».

Brizio non sembrava ubriaco. Finalmente capì. «Ah, sì, ma ora non posso. Qui è successo un casino...».

«Eh, lo so, il lavoro. Vabbè, stammi bene. Magari chiamami pure a casa qualche volta. Buona serata...» e attaccò.

Brizio aveva paura che il suo telefono fosse sotto controllo. Come l'appartamento di Sebastiano. Ma perché controllare Seba? L'avevano arrestato, sapevano che voleva ammazzare Enzo Baiocchi, cos'altro c'era da spiare? Sebastiano era un libro aperto. A meno che quei microfoni non fossero per il suo vecchio amico. Ce l'avevano con lui?

Ingoiò un grumo di ansia.

Scosse la testa, stava diventando peggio di Michela Gambino, vedeva complotti dappertutto. Eppure Sebastiano aveva paura, non parlava, sapeva che lo stavano ascoltando. Gli stavano addosso? C'entrava ancora Caterina?

La stronza.

Con questi pensieri si fermò sotto i portici e chiuse l'ombrello. Lupa ne approfittò per darsi una sgrullata. Aprì la galleria fotografica del cellulare e recuperò la foto che giorni prima gli aveva mandato Brizio. Per caso s'era incrociato con il viceispettore a piazza del Viminale e l'aveva vista uscire dagli Interni insieme a un uomo. Eccola lì Caterina, col suo sguardo triste e la bocca socchiusa con accanto il tizio dai capelli bianchi, probabilmente quello che la guidava, che gliel'aveva inchiodata addosso per spiarlo, controllare le sue mosse. C'era lui al centro di tutto? Doveva parlare con Antonio, l'unico che si intendesse un po' di telefonini e trucchi digitali, magari bastava ingrandire la foto per studiarla meglio, forse un dettaglio l'avrebbe aiutato.

Nella segretezza più assoluta.

«Seratona!» urlò Gabriele appena Rocco fradicio varcò la porta di casa. Subito notò il 42 pollici sul tavolino del salone.

«Cos'è quello?» chiese togliendosi il loden.

«È il nostro televisore, il tuo faceva schifo. Allora seratona!». Corse nel suo angolo e afferrò tre dvd sul letto. «Ci vediamo *28 giorni dopo* di Danny Boyle, regista di *Trainspotting*, tanto per dire, a seguire *L'alba dei morti dementi*, capolavoro di Edgar Wright, e chiudiamo con *Splatters - Gli schizzacervelli* del grande Peter Jackson, indiscusso maestro della saga del *Signore degli Anelli*. Allora, che dici?».

«Che cazzo di film sono?».

«Tutti sugli zombie!» urlò Gabriele. «E mica è finita. Fra esattamente...» guardò l'orologio da polso, un vecchio Casio pieno di tasti che fungevano da calcolatrice, «... mezz'ora arriva una margherita per te e una capricciosa più calzone per me!».

«Non l'avrai ordinate da Ahmed».

«Macché, le faccio portare dal Grottino. Hai giusto il tempo di farti una doccia e la seratona comincia».

«E tua madre?».

«Mamma ci raggiunge dopo. Ma a lei i film con gli zombie non piacciono, e neanche la pizza».

«Cosa ti fa credere che a me piacciono?».

«Vedrai, sono tre capolavori».

«Ma saranno quattro ore di film!».

«Voleranno!».

«Insomma hai organizzato Massenzio».

«Cos'è Massenzio? Ah no, lo so. Marco Aurelio Massenzio, si autoproclamò imperatore, venne chiamato l'Usurpatore. Abbellì Roma e...».

«No. Massenzio era un festival estivo di cinema che facevano a Roma. Però bravo, hai studiato. Vado a fare la doccia... anche se di acqua ne ho presa per un mese».

«Eh sì, pare che per giorni non smetta più. Hai venticinque minuti».

«Tu dai la pappa a Lupa».

Jim si sveglia. L'ospedale è abbandonato. Non c'è nessuno. Cammina per i reparti, tra rifiuti, stracci, mobilia rovesciata e silenzio. Non sa cos'è successo, neanche un paziente, un medico. I telefoni sono rotti, i vetri sfasciati, non un suono o un rumore. Attraversa i corridoi pallido, sconvolto e solo.

«Fa paura, eh?».

«Gabrie', se dobbiamo vedere 'sto film almeno in silenzio».

«Vero, scusa...».

Il rumore di chiavi nella toppa fece voltare Rocco di scatto. Cecilia rientrò con l'impermeabile zuppo, infreddolita e il viso stanco. Gabriele fermò l'immagine: Jim si congelò nella Londra deserta, sul ponte davanti al Big Ben non un'anima, solo cartacce alzate dal vento.

«Mamma, sei rientrata?».

«Non vi preoccupate per me, guardate pure».

«Gabriele ha organizzato una serata di zombie».

«Uh... paura!» fece Cecilia e mollò un bacio al figlio.

«Mamma, c'è la pizza. Ne vuoi?».

«Perché no?».

«Vieni, siediti, il film è appena cominciato. Allora, è successo che c'è un posto dove fanno esperimenti sulle scimmie. Due attivisti liberano uno scimpanzé nonostante il dottore gli abbia detto di non farlo, perché sono esperimenti su un virus. Quelli non ci credono e appena lo scimpanzé viene liberato, zac!, morde l'animalista donna sul collo che vomita sangue, tantissimo, poi diventa aggressiva e attacca gli altri. Insomma il virus ormai è in circolo. Ora 'sto tizio, Jim, si è risvegliato in ospedale dopo un coma, ma non c'è nessuno. Londra è deserta...».

«Capito» e Cecilia si sedette accanto al figlio.

«Allora vado?».

«Manda Gabriele!» fece Rocco. Il ragazzo premette un tasto del telecomando e le immagini ripresero a muoversi. Stavano così, tutti e tre sul divano a guardare un film che aveva un suo fascino. Ogni tanto mordevano la pizza, un sorso di Coca-Cola e di birra, ma la storia li aveva inchiodati. Un suono avvertì Rocco dell'arrivo di un messaggio. Lo lesse. «Allora ci vediamo? Lada». Guardò Gabriele, Cecilia, si vide seduto insieme a loro e per la prima volta dopo tanti anni respirò un'aria che almeno fino alla fine della notte gli avrebbe lasciato l'illusione di una tranquillità familiare. Spense il cellulare senza rispondere.

Jim corre, per scappare alle orde zombie urlanti con gli occhi iniettati di sangue, e insieme ai suoi due nuovi amici si nasconde nella metropolitana di Londra in un negozio abbandonato.

Venerdì

Nel laboratorio attrezzato e ordinato di Michela Gambino, tra la luce bianca dei quarzi e un odore di alcol e ammoniaca, il vicequestore Rocco Schiavone con gli occhi poggiati sugli oculari di un microscopio osservava dei curiosi filamenti marroncini posti su un vetrino. Michela era accanto a lui mentre Alberto Fumagalli era concentrato su un altro microscopio polarizzatore a luce trasmessa. «Cos'è 'sto schifo?» chiese Rocco.

«Quello che stai vedendo l'ho trovato sulla neve nelle orme lasciate accanto al palo della luce. È terra carica di potassio e magnesio e tracce di rame».

«Tradotto?».

«Concime per vigneti» rispose Alberto senza staccare lo sguardo dalle lenti. «Guarda guarda...» aggiunse. «Questo terriccio... che mi dici?».

«Visto?». Michela si spostò dal patologo. «L'ho esaminato. L'ho prelevato dalle tracce lasciate vicino al ciglio stradale e anche questo è pieno di potassio e magnesio».

«Concimazione autunnale!».

«Esatto, Alberto!». Michela sorrise.

«Quindi fatemi capire» si intromise Rocco, «hai trovato resti infinitesimali di terriccio che provengono da un vigneto?».

«Esatto. Chi ha trasportato lì il povero Enrico Manetti aveva appena calpestato del terreno vicino a una vigna».

«Brava Michela, brava!». Rocco soddisfatto si mise una sigaretta in bocca. «Tranquilla, non l'accendo».

«Ci mancherebbe».

«E a proposito di Enrico Manetti, vuoi sapere cosa aveva nelle vene?» disse Alberto poggiandosi sul tavolo di alluminio.

«Sono tutt'orecchi».

«Diisopropilfenolo, una molecola di fenolo e due gruppi funzionali isopropilici».

«Propofol» fece annuendo Michela come chi la sapeva lunga.

«Già. Farmaco anestetico commercializzato col nome di Diprivan».

«E non facevi prima a dirmi anestetico? Madonna che palle, insieme siete insopportabili».

Michela e Alberto sorrisero complici.

«Uno dove può rimediare questo Diprivan?».

«Devi avere contatti con un ospedale, un laboratorio, ma si usa anche in veterinaria».

«Bene. Michela, hai controllato i vestiti di Manetti?».

«E che stiamo a babbiare qui? E certo. Per ora nessuna sorpresa. Sulla manica sinistra all'altezza della spalla più o meno ci sono tracce di Diprivan».

«Avranno fatto schizzare un po' di liquido» intervenne Fumagalli.

«Già. Poi un paio di molliche, pane, quindi aveva mangiato un panino» proseguì il sostituto, «e il solito terriccio sotto le sue scarpe. Serve altro?».

«Vabbè, mentre ve ne state qua sotto a fare i giochetti coi fenoli, le molecole e l'azoto io vado a lavorare».

«Brutta cosa l'ignoranza» commentò grave Alberto Fumagalli, ma Rocco non rispose e uscì dalla stanza senza neanche salutare.

«Vuoi dare un'occhiata ai legami proteici del terriccio?».

«Certo Michela, tanto stamattina da me è un mortorio» e ridendo della battuta si infilarono nel locale attiguo.

Rocco risalì le scale dal seminterrato della scientifica, girò il corridoio ed entrò nell'ufficio degli agenti. C'erano Scipioni e Deruta seduti a controllare delle liste. «Mi date novità sulle presenze al casinò del giorno dell'omicidio Favre?».

«Ci stiamo lavorando» fece Deruta, «ma non c'è nessun nome che ci dice qualcosa, vero Antonio?».

«No... stiamo controllando i nominativi uno per uno. Ci vorrà un po' di tempo, dottore».

«Hai la faccia stanca Deruta, sempre il panificio?».

«Sempre».

«Un giorno di questi vengo a parlare con tua moglie. Se n'è accorta che tu un lavoro ce l'hai già?».

«Sì, gliel'ho detto ma mi deve credere, al forno c'è tanto da fare e non si può permettere un aiutante. Quindi ogni tanto mi tocca» poi chinò appena il capo. «Ne va della tranquillità casalinga».

«Capisco. Fatemi avere 'ste liste al più presto. Mettete anche D'Intino al lavoro».

«C'è pure lui, ora però è al bagno» fece Antonio. «Scipioni, mi devi controllare quanti vigneti ci sono in un'area diciamo di una trentina di chilometri da Saint-Vincent».

«Vigneti?» chiese l'agente. «Vigneti». Poi Rocco spostò l'attenzione sull'altro tavolo dove Casella era ipnotizzato dal monitor del computer. «E te Ugo? Roba porno?».

Casella sorrise. «Sto facendo la ricerca su Romano Favre e dove avrebbe potuto nascondere in rete il materiale che scotta. Finora niente... YouTube, Facebook, Instagram. La Gambino ha avuto 'na bella intuizione, ma una cosa è dire un'altra è fare...».

«E io sono convinto che un ragazzino di dodici anni ci metterebbe tre minuti a trovare qualcosa...».

«No dotto', qui ci vuole un vero e proprio hacker, altroché!».

Li lasciò al lavoro e proseguì verso il suo ufficio. «Italo!» chiamava nel corridoio ad alta voce, ma nessuno si affacciò. «Dove sei? Pierron!». Il telefono nella sua stanza squillava. Entrò veloce scavalcando Lupa che dormiva pancia all'aria sul pavimento. «Arrivo, arrivo, ecchecazzo!». Alzò la cornetta. «Schiavone, chi è?».

«Rocco, sono Italo» udì all'altro capo del telefono.

«Si può sapere dove sei alle nove di mattina?».

«A Deval sulla regionale 36... Hanno ritrovato il blindato. Ci sono i vigili del fuoco qui e stiamo aspettando gli artificieri da Torino».

Quello che restava del furgone era un ammasso di lamine e tubi contorti e anneriti abbandonato in una piccola radura. L'erba tutt'intorno era carbonizzata, un paio di abeti avevano i tronchi anneriti, la puzza di benzina e plastica bruciata faceva lacrimare gli occhi. Il reparto dei vigili del fuoco di Aosta aveva lasciato l'area transennata pronta per l'esame degli artificieri. Rocco e Italo riparati sotto due ombrelli guardavano la scena in silenzio. Sul terreno erano evidenti frammenti di metallo, cavi, brandelli di stoffa. Si avvicinò un vigile coordinatore con tre tacche sul petto. I pochi capelli fradici e il viso aperto e sincero, la barba lunga di qualche giorno, gli occhi meridionali e un sorriso appena accennato. «Buongiorno... Capuano» e strinse la mano di Rocco. «Siamo arrivati che le fiamme erano quasi spente... abbiamo avuto fortuna, la pioggia ha aiutato, almeno serve a qualcosa». Poi guardò il cielo. «Secondo me non smette fino a quest'estate».

«Speriamo di no. Che mi dice?».

«Aspettiamo gli artificieri, però un po' di esperienza mi suggerisce un ordigno casalingo. La sente la puzza di benzina?».

«La sento sì» fece il vicequestore.

«L'hanno fatto saltare verso le sei di stamattina. Almeno, così dice un tizio che abita a duecento metri più a valle» e col pollice indicò la strada.

«C'era qualcuno dentro?».

«No dottore, nessuno... se Dio vuole hanno solo distrutto il mezzo».

«Con le prove e tutto» aggiunse Rocco. «Questo è il furgone della rapina...».

«Quale rapina?» chiese il coordinatore.
«Quella al portavalori di ieri, dal casinò».
«Ah, non sapevo nulla...».
«Vabbè, Italo, qui non abbiamo più niente da fare, torniamo in questura... La saluto, Capuano».
Con un sorriso a mezza bocca il vigile del fuoco tornò al lavoro.
«Si sono mossi in fretta» commentò Rocco tornando all'auto.
«Già... perché bruciarlo?».
«C'era qualche prova che li inchiodava».
«Pensi a delle impronte?».
«Anche, chi lo sa? Magari il nucleo artificieri ci racconta qualcosa di più. Ecco, l'artificiere è una cosa che non avrei mai fatto in vita mia. Lo sai qual è il loro motto, Italo?».
«No...».
«*Semel errare licet*, che vuol dire che puoi sbagliare una sola volta. Nessuna seconda chance... sai da quanto tempo starei all'alberi pizzuti io?».
Italo scoppiò a ridere. Poi Rocco lo fermò prendendolo per un braccio: «E a proposito di sbagliare... hai qualcosa da raccontarmi?».
«Se stai pensando al poker sei fuori strada. Non ho più toccato una carta».
«Ci sono altri sistemi di gioco».
«Niente slot machine, niente scommesse, niente di niente, Rocco».
«Ce la fai?».
Italo annuì. «Ce la devo fare».

Il vicequestore gli mollò una pacca sulla schiena, chiuse l'ombrello ed entrò in macchina.

Erano tutti riuniti nella stanza di Rocco. Casella aveva fatto il caffè con la macchinetta nuova. Antonio e Italo come al solito appoggiati sugli stipiti dell'uscio, Deruta sul divanetto di pelle e D'Intino attaccato allo schedario.

«Ragioniamo» esordì Schiavone, «e vi prego di notare quanta fiducia il vostro capo ripone in voi rendendovi partecipi dei suoi pensieri. L'autista è stato mollato sotto al Gran Paradiso. Perché?».

«Forse è un posto poco frequentato d'inverno e speravano così di prendere tempo?».

«Giusto, Italo. E io dico che ci hanno mandato dall'altra parte».

«Come dall'altra parte?» chiese Casella.

«Del posto dove invece si sono diretti loro. Un altro dettaglio che conosciamo è che la banda è composta da almeno quattro persone. Diciamo che due portano il corpo dell'autista sulla statale di Vattelappesca come si chiama».

«Valsavarenche» gli suggerì Italo.

«Gli altri invece col furgone nottetempo vanno su a Deval per bruciarlo».

«Che è da tutt'altra parte rispetto alla Valsavarenche» confermò Italo.

«Noi che sappiamo, fidi aiutanti?» chiese Rocco. «Tre cose. Prima! Uno dei componenti è Ruggero Maquignaz, gli altri ci sono sconosciuti. Seconda informazione, hanno agito in un terreno vicino a un vigneto. Le tracce lasciate da quelli che hanno mollato l'autista drogato parlano chiaro. Quindi quanti vigneti ci sono a poca distanza da Saint-Vincent? Chi lo doveva controllare?».

Fu Antonio a rispondere «Io. Sono almeno una trentina, dottore. Poi se scendiamo fino a Pont-Saint-Martin aumentano esponenzialmente».

«Un'ira di Dio. Terza informazione: nel luogo dove hanno operato ci deve essere uno spazio abbastanza grande da poter nascondere un tir. Perché ricordate che il furgone a Deval ce l'hanno portato con il tir, altrimenti una volta fuori dal container piombato sarebbe partito l'allarme satellitare. Invece, scaricato dal tir, pochi secondi dopo l'hanno fatto saltare e si sono dati alla fuga».

Deruta alzò una mano. «L'agente Deruta ha facoltà di parola».

«Io dico che la vigna non deve essere troppo lontana da Deval. Insomma, aggirarsi con un tir giallo che forse qualche testimone sul luogo della sparizione ha visto non è una cosa da prendere sottogamba. Anche se di notte. Quindi, forse, meno strada si fa meglio è». Il pensiero di Deruta fu accolto nel silenzio più assoluto. Rocco dondolava soddisfatto la testa. «E io qui dedicherei un applauso sincero all'intuizione insperata di Deruta che ci lascia tutti convinti e soddisfatti» e cominciò a battere le mani. Gli altri perplessi lo imitarono. Deruta sorrideva felice. «Ma io aggiungerei un particolare». Il vicequestore riprese l'attenzione di tutti. «Al nostro Manetti hanno somministrato il Diprivan. Fumagalli mi dice che si usa anche per scopi veterinari, quindi all'intuizione di Deruta aggiungerei anche una stalla, mucche, cavalli, che ne so?».

Gli agenti annuirono. Anche D'Intino alzò la mano.

«Che vuoi?».

«È lu vero».

«Cosa è vero?».

«Mio zio a Mozzagrogna lo dà a le bestie quando lu medico fa gli interventi. Però zieme lo chiama Vidivan. Ma tiene la terza media, capace che si sbaglia».

«Bene. Ora che abbiamo la benedizione dello zio di D'Intino diamoci da fare». Si alzò e andò alla cartina. «Diciamo un'area di una ventina di chilometri da Deval, e verso valle, non credo ci siano vigneti più in alto».

«Giusto» fece Antonio. «Andiamo tutti?».

«No. Vanno Deruta, D'Intino e Casella. Antonio e Italo, con me». Prese il loden, un fischio a Lupa e si incamminò seguito dai suoi agenti. «Allora, Antonio, io da te ho bisogno di una cosa molto delicata». Rocco abbassò il volume della voce. «E molto illegale».

«E ti pareva...». Antonio scosse la testa. Italo sorrise. Le cose poco legali piacevano al poliziotto valdostano.

«C'è un avvocato, Ivan Greco. Noto penalista della città».

«E...?».

«Lo devi seguire».

Antonio sgranò gli occhi. Poi guardò Italo. «Seguire intendi proprio... seguire?».

«Cos'è che ti sfugge del significato della parola?».

«Rocco, questo non è illegale, questo è penale!».

«Ma tu sei bravo e non ti fai scoprire».

«Posso sapere qualcosa di più?».

«Certo. Lo studio ce l'ha a piazza Chanoux. Difende Michelini, l'omicida di Romano Favre. Dai una controllatina al curriculum del principe del foro e attaccati a lui come una remora. Mi piacerebbe sapere chi vede, chi frequenta, chi va nel suo studio, e mi raccomando...».

«... a parte noi tre nessuno» concluse Antonio Scipioni. «Ma cosa ci aspettiamo?».

«Non lo so. Ma non possiamo rinunciare al tentativo».

«Perché non ci mandi Italo?».

«Me?».

«No, lo fai tu. Vuoi sapere il motivo? Sei onesto, pulito e sincero. Italo è corrotto, profondamente disonesto e la prenderebbe troppo alla leggera».

«Vaffanculo» mormorò Pierron.

«Tu invece, agente Scipioni, te la fai addosso e non commetterai errori». Gli mollò una pacca sulla spalla e insieme a Italo si allontanò. Antonio alzò gli occhi al soffitto inspirando più aria possibile, scosse la testa e si avviò verso la sua stanza.

Fermarono l'auto sotto il palazzo di Ruggero Maquignaz a corso Ivrea. «Numero?».

«Al 12, Rocco».

«Lupa, stai in macchina e fai la ninna».

Sul citofono solo quattro nomi. Era una palazzina gialla a un piano, Maquignaz abitava al primo. Rocco bussò a casaccio. Non rispose nessuno. «Tutti fuori? Co' 'sta pioggia?».

«Così pare» disse Italo. «Ma davvero pensi questo di me?».

«Cosa?».

«Che sono corrotto e disonesto?».

«Avresti preferito rischiare il carcere seguendo l'avvocato?».

«No...».

«E allora fammi fare».

Il vicequestore tirò fuori dalla tasca il coltellino milleusi e poco dopo la serratura del portone cedette.

«Cioè, se finisce Antonio nei guai a te non importa?».

«Italo, Antonio nei guai non ci finisce. Lui è mezzo siciliano e mezzo marchigiano».

«E allora?».

«Allora da piccolo ha respirato lo iodio dal mare, tu no. Ora entriamo che mi stai rompendo i coglioni».

«Fai prima a dire che lui è meglio di me».

«Lui è meglio di te».

Li accolsero due biciclette legate con la catena alla ringhiera delle scale e degli scatoloni chiusi con lo scotch ammucchiati in un angolo insieme a una puzza di muffa. «Saliamo?».

«E saliamo...».

Arrivarono al primo piano, sulla porta blindata di Maquignaz c'era una bella ghirlanda natalizia. Rocco sbuffò asciugandosi i capelli. «Questa non la so aprire». Italo provò inutilmente a bussare. L'eco del campanello risuonò nell'appartamento vuoto. Il vicequestore continuò a salire. La scala terminava con una porta vecchia e cadente che dava nel sottotetto. La aprì e si ritrovò in una stanza ricolma di oggetti impolverati che prendeva luce da una bocca di lupo rettangolare a un paio di metri d'altezza. Italo era rimasto qualche gradino alle sue spalle. «Che cos'è?».

«Una specie di solaio. Aspe'...» mise un piede su una vecchia sedia e raggiunse la finestra. La aprì. «Che palle!». Si tolse il loden e lo consegnò a Italo. «Tienilo», poi con le braccia si tirò su. Italo lo vide sparire piano piano nella feritoia rettangolare. Alla fine restarono le gambe e i piedi che scalciavano l'aria. Probabilmente il vicequestore dall'altra parte stava bestemmiando. Poi tutto il corpo fu ingoiato dalla finestrella dal cielo e dalla pioggia. «Tutto bene, Rocco?».

«Fanculo» udì dall'altra parte.

Era su un terrazzato che girava intorno alla palazzina con tre antenne infilzate come alberelli. Una decina di metri più in basso scorreva corso Ivrea. Un'auto sfrecciando alzò uno spruzzo d'acqua dalla pozzanghera. Sentiva le gocce bagnargli i capelli e il viso, attraversare il maglione di lana. Arrivò sopra l'appartamento di Maquignaz. Le mani sporche, i pantaloni da portare in tintoria, ormai c'era poco da salvare. Si appese alla grondaia, le gambe penzoloni nel vuoto. Freddo e vento non aiutavano i movimenti. Le dita scivolavano lentamente sul metallo bagnato che si piegava sotto il suo peso. Poi, fradice d'acqua, mollarono la presa sgusciando via dalla gronda arrugginita e Rocco volò per un metro abbondante fino ad atterrare sul terrazzino. Una lama di dolore gli azzannò la schiena. «Puttana della miseria!» sibilò fra i denti mentre si rotolava sul pavimento bagnato del balconcino del primo piano. «Che dolore!». Lento si rialzò appoggiandosi alla ringhiera. Si stirò i muscoli lombari e tornò in posizione eretta. Era ancora tutto intero, fradicio come se avesse fatto la doccia vestito. Con due colpi di coltellino liberò la serratura delle veneziane. La finestra era vecchia, il legno corroso e mangiucchiato era tenero e penetrarlo col seghetto fu uno scherzo. Finalmente raggiunse il blocco della maniglia e lo fece scattare. Entrò in casa di Maquignaz scrollandosi i capelli come un cagnolone bagnato e lasciando a terra una pozza d'acqua. A tentoni cercò la luce e finalmente la trovò. Un piccolo salone. Un divano color tabacco e il tavolo vecchio di legno pieno di cerchi lasciati da bottiglie e bicchieri. Andò alla porta, girò il chiavistello interno e l'aprì. Italo lo aspettava sulle scale. «È stata dura? Madonna, sei bagnato zuppo» gli disse restituendogli il loden.

«Allora diamo un'occhiata in giro».

«Cosa cerchiamo?».

«Non lo so. Guarda e pensa». Italo si diresse in camera da letto, Rocco verso la piccola cucina. Aprì il frigorifero. Latte, vino bianco, limoni, un pezzo di formaggio, tre yogurt scadenza 15 dicembre, due contenitori di plastica con dentro sugo e polpette. Tornò in salone. Evitò di guardare gli orribili quadri alle pareti. Sopra il televisore, poggiate su una mensola, c'erano due statuine intagliate nel legno, i soliti vecchi fumatori di pipa. Accanto alla poltrona un tavolino con sopra il giornale di mercoledì e una «Settimana Enigmistica» con un cruciverba lasciato a metà. Su un ripiano proprio accanto alla porta d'ingresso una bolletta del telefono e una della luce da pagare entro qualche giorno.

«Qui non c'è niente di interessante, Italo». Appena l'agente lo raggiunse aprì la porta di casa e spense la luce.

«Cos'è che non ti convince, Rocco?» gli chiese Pierron scendendo le scale.

«Se tu devi fare una rapina e far sparire le tue tracce ti conservi il sugo e le polpette? Oppure lasci le bollette da pagare sul mobile all'ingresso? O tieni in frigo yogurt appena comprato?».

Erano di nuovo in strada. «No...» rispose Italo.

«Ecco, la casa di 'sto Ruggero tutto sembra tranne un posto che uno ha deciso di abbandonare in fretta e furia».

«E allora è strano» disse Italo. «Pensa di farla franca? È troppo invischiato, insomma è uno che lavora all'Assovalue, è lui che costringe l'autista a salire sul camion con la forza, non è che può tornare tranquillo a casa sua. No, non ha senso, Rocco».

«A meno che non troviamo anche lui mezzo drogato da qualche parte così ci spiega come sono andate le cose. Ora sentiamo i nostri e vediamo se hanno notizie. Dammi un ombrello, io torno a piedi. Ci vediamo in questura e portati Lupa».

«Un ombrello? Più fradicio di così... dove vai?».

Ma Rocco non rispose. Si incamminò verso il centro cittadino. Aveva bisogno di riflettere e del caffè di Ettore.

Passò l'arco e camminò fino a Porta Pretoria. Almeno lì il vento s'era calmato e la pioggia era diminuita d'intensità. Non guardava i volti dei passanti intabarrati nei berretti e nelle sciarpe sotto gli ombrelli, neanche il cielo, che tanto, lo sapeva, era lattiginoso e piatto. Non osservava le vetrine dei negozi, per la paura di vedere la sua immagine riflessa o peggio non vederla affatto. La mano destra in tasca, gli occhi puntati sul selciato, un passo dopo l'altro coi piedi fradici nelle sue Clarks che l'umidità feroce azzannava senza pietà; solo l'odore di legna bruciata portava un po' di calore e di intimità. Quello era l'unico dettaglio che era riuscito ad amare di Aosta, il profumo della legna bruciata. A Roma la poteva sentire solo se passava accanto a una pizzeria col forno, ma di solito si mischiava all'odore di fritto dei supplì, dei filetti di baccalà e dei gas di scarico. Non c'erano i camini a Roma, non c'erano le stufe a legna. Era buono quell'odore, pensò che sarebbe stato bello accendere anche il suo camino. Stava nell'angolo del salone, e lui l'aveva trasformato in un contenitore di riviste e scatole che non sapeva mai dove mettere. Forse avrebbe dovuto chiamare lo spazzacamino per pulire la canna fumaria. Ma esistevano ancora gli spazzacamini? Non lo sapeva.

Cosa gli sfuggiva? Doveva esserci un dettaglio che non considerava e invece era fondamentale. Di nuovo il pensiero tornò a Lada e a suo marito Guido. Perché all'inizio dell'indagine si dava tanto da fare? Per l'amicizia che lo legava a Romano Favre? Non l'aveva mai convinto fino in fondo. Scosse la testa. Si fermò. Prese il portafogli. Conservava quel biglietto misterioso ritrovato fra le carte della vittima, quell'appunto scritto su uno scontrino con le tre lettere A, B e C. Ancora non aveva capito cosa indicassero.

Cosa avevi scoperto ragionie'?, pensò. E dove l'hai messa la prova?

Quando entrò nel locale il freddo gli era penetrato fin dentro le ossa. Arrancò fino al bancone e prese posto accanto a una donna chiusa in un pesante cappotto imbottito. «Mi fai un caffè, Ettore?».

«Subito dottore... lei è bagnato come un pulcino».

«Ettore, per favore...».

«Sissignore, mi faccio i fatti miei e preparo un caffè...».

«Posso offrire?». Rocco si voltò. Era Sandra Buccellato, la giornalista. «Non ricordo più se ci davamo del tu o del lei».

«Facciamo del tu, tanto pare che evitarsi in città non sia possibile».

La donna strinse appena le labbra. «Addirittura sono una da evitare?».

«Tutta l'umanità è da evitare, Sandra».

Ettore depositò il caffè sul bancone e si allontanò. Sandra portava i capelli castani con una pettinatura all'indietro che esaltava gli occhi. Quella sera erano più intensi del solito. Cominciava a capire il suo capo, una donna così se ti scotta ti porti le ustioni per parecchio tempo.

«Io e te dobbiamo parlare Rocco, ma non qui».

«E di cosa dobbiamo parlare?».

«Finisci il caffè».

Rocco obbedì. Poi Sandra gli fece un cenno e lui la seguì. Scesero delle scale per ritrovarsi in una sala enorme, bianca. Da una parte, si aprivano le porte per la toilette, dall'altra invece un deposito di scatoloni, bandiere, tavolini e un paio di lavagnette lavabili. «Tutta roba che usano per le serate Lions, mettiamoci qui che non ci sente nessuno». La giornalista girò intorno all'ammasso di mobili e casse. «Allora Rocco, io so delle cose, tu ne sai altre e credo sia arrivato il momento di collaborare senza nascondere niente».

«Sentiamo, cosa sai?».

«So che la tributaria sta marcando stretto i vertici del casinò e ovviamente pezzi grossi alla Regione».

«È una voce che ho sentito anche io».

«E quello che credo è che l'omicidio di via Mus che il mio ex marito il questore sbandiera come un caso risolto, non sia risolto per niente. Dimmi se mi sbaglio».

«Senti Sandra... il colpevole l'abbiamo arrestato, la banda dei riciclatori pure...».

«E allora mi spieghi perché Baldi e i suoi colleghi da giorni martellano Arturo Michelini e i riciclatori? Se le cose sono risolte, come dici tu, si va a processo e buonanotte ai suonatori, o no?».

«Questo lo dovresti chiedere al magistrato, non a me. Io al momento sto indagando sulla rapina».

«Tu dici che l'omicidio con quello che sta facendo la tributaria non c'entra nulla?».

Rocco si appoggiò a una scrivania capovolta. «No. Non c'entra niente, e sono sincero».

Sandra lo guardò a lungo. «Però la coincidenza è quantomeno curiosa».

«Su questo ti do ragione al cento per cento. Però ti posso dare un consiglio, perché oramai un po' ti voglio bene. Stai fuori da 'sta storia. Se Michelini è invischiato coi colletti bianchi, e non credo, metteranno le mani addosso pure a te. Se invece c'entra con la rapina, quella è gente che spara. E rischi lo stesso. Fammelo fare a me 'sto lavoro, ti prometto che appena vedo l'alba sarai la prima a saperlo».

«Non ci credo».

«Ci devi credere». Si avvicinò e la baciò. All'inizio Sandra fece resistenza, poi si lasciò andare e Rocco sentì il corpo della donna ammorbidirsi. Aveva le labbra delicate, Sandra, e lui lo aveva sempre sospettato. La sorpresa piacevole fu il seno marmoreo. Si staccarono. La giornalista lo guardava dritto negli occhi. «Che vuol dire?».

«Secondo me è meglio di una stretta di mano per suggellare un patto».

Sandra rise. «Lo fai con tutte?».

«Solo con le giornaliste».

«Sei un latin lover di bassissimo livello».

«Lo so, però adesso il cervello funzionante non è quello della scatola cranica, ma è l'altro».

Sandra guardò in basso il rigonfiamento del vicequestore. «Mi pare in piena attività».

«Già, e nel posto più scomodo e sbagliato del mondo».

«Avremo modo e tempi per rifarci». Gli mollò un bacio sulla guancia e si allontanò. A metà sala, nella penombra, si voltò: «E tu daresti la notizia prima a me che al mio ex marito?».

«Non ho nessun obbligo verso di lui».

«Non sei fedele a nessuno, vicequestore».
«Non sai quanto ti sbagli».
«Accetta un consiglio spassionato. Vatti ad asciugare».

Schiavone aveva asportato una quantità industriale di carta dalla toilette cercando di asciugare capelli mani e viso. Stropicciava quei fazzoletti grigiastri che si spappolavano subito al contatto con l'acqua e schifato li lanciava nel cestino. «La pioggia a che livello sta, dottore?» fece Deruta entrando nella stanza.

«Già presente, all'ottavo a pari merito con l'aria condizionata rotta dell'auto. Che mi racconti?».

«Vigneti ce ne sono, ma sa una cosa? Sono terrazzamenti, difficile che uno ci possa nascondere un camion. Anche solo arrivare con un camion. A parte un paio di posti in pianura niente che somigli all'idea di vigneto che ha lei, o che avevo io».

«Cioè?».

«Colline piene di cipressi, basse, ondulate... no, questi sono eroi, hanno rubato la terra alla montagna per fare il vino».

«Quindi a dirla tutta un posto per nascondere un tir...».

«No, non c'è».

Italo Pierron entrò di corsa col fiato grosso. Brandiva una carta come se fosse un'arma. «E qui un colpo di fortuna c'è stato!». Consegnò l'appunto a Rocco.

«Che roba è?».

«La manda la polstrada. Una videocamera all'incrocio della strada con Verrès, camion giallo fotografato con tanto di targa. L'orario combacia e anche la grandezza e il colore del mezzo» e guardò sorridente Deruta.

«Che cazzo è? GO, FF 112?».

«È slovena» fece Italo.

«Slovena?». Rocco riguardò il foglio. «Come sloveno era il numero di cellulare che la notte dell'omicidio chiamò Romano Favre!».

«Vero...» fece Deruta.

«Che vuol dire GO?».

«Nova Gorica. Città al confine con l'Italia, praticamente è attaccata a Gorizia».

Rocco poggiò la carta sul tavolo. «Dobbiamo saperne di più. Se è una targa rubata, altrimenti a chi appartiene. Resta il mistero del nascondiglio. Io non credo che se ne siano andati col tir fino in Slovenia. Troppo rischio».

«D'accordo con lei...» annuì Italo. «Precisamente che altro abbiamo?».

«Se non è un vigneto» intervenne Deruta, «o almeno ci sembra piuttosto difficile, dove altro possono aver pestato quel terriccio?».

«Un deposito?» fece Rocco. «Compito ancora tuo e del tuo degno compare D'Intino... cerchiamo se esistono depositi simili, concimi».

«Domani?».

«Sempre domani».

«No, perché io ho il turno in...».

«Zitto Deruta, non nominare il panificio che t'ammazzo. E portatevi pure Casella. Dov'è ora?».

«S'è rimesso a cercare materiale online su Romano Favre...».

«Ah» fece Rocco infilandosi il loden. «Quella è come la cinquina di fra' Pacifico».

«La cinquina?».

«La sai la storia di fra' Pacifico che lasciò la cinquina al popolo romano? No? E la stessa cosa è cercare tracce dei documenti di Favre online, un'impresa impossibile, proprio come quei cinque numeri promessi dal frate. Mo' mi sono rotto i coglioni e vado a casa... a domani figlioli. Lupa?» e insieme al cane si incamminò per il corridoio.

Con gli occhi incollati al monitor del computer e le gambe attraversate da un formicolio costante, l'agente Ugo Casella era un ammasso di nervi e tensione. Da tre giorni aspettava il tecnico della caldaia che lui, già da settembre, metteva in funzione. Una caldaia seminuova, comprata neanche sei mesi prima e già faceva i capricci. Non si era abituato al freddo, nonostante di questure al Nord ne avesse girate. Dalla sua natia San Severo in provincia di Foggia era stato trasferito prima a Domodossola, poi a Trento, a Brescia, Perugia e infine alla soglia della pensione ad Aosta. Tre mattine con la doccia fredda erano state una tortura. Quel giorno aveva deciso di portarsi l'occorrente in questura e usare il bagno del primo piano, quello appena ristrutturato, che era comodo e aveva l'acqua calda. Ai suoi piedi c'era infatti la borsa della polisportiva Eugubina, ricordo di una sua sporadica e azzardata attività ginnica ai tempi del trasferimento a Perugia. Dentro aveva messo l'accappatoio, maglietta, calzini e mutande di ricambio e giacché c'era l'attrezzatura per la barba, che farsela con l'acqua fredda era un'impresa al di sopra delle sue possibilità, ma non era riuscito ancora a staccarsi dal tavolo per sgusciare silenzioso. Visitava decine, centinaia di siti. Da Facebook a YouTube, Instagram, Twitter, Snapchat. Solo una volta sembrava aver trovato la strada per arrivare a Romano Favre, ma poi si era accorto che stava inseguendo un omonimo, un diciassettenne di Roncobilaccio frequentatore di siti calcistici. Gli si chiudevano gli occhi e le tempie battevano furiose. Si allungò sulla sedia e si stiracchiò provocandosi una fitta lancinante alla vertebra del collo. Era ora di cena ma fame non ne aveva. Appena tolto lo sguardo dal monitor il tarlo che da due settimane gli stava togliendo sonno e appetito tornò.

Che le regalo?, si chiedeva.

Il problema era la signora del terzo piano, Eugenia Artaz, divorziata da Francesco Brusatti, ex impiegato delle poste. Cinquantasette anni, capelli biondi corti e sempre ben curati; un figlio, Carlo, e una figlia, Sandra, studentessa a Torino in Scienze della comunicazione. Tutte informazioni che l'agente Ugo Casella aveva raccolto segretamente in questura perché da nove mesi, tanto era passato dal giorno del divorzio con Francesco Brusatti, non aveva ancora trovato il coraggio di rivolgerle la parola. Solo buongiorno e buonasera. Ma lei gli sorrideva e Casella sperava che dietro quel sorriso si nascondesse qualcosa di più di un gesto di pura cortesia condominiale. Eugenia portava occhiali da miope di colore sempre diverso. Li cambiava intonandoli al vestito. Rossi, azzurri, viola, verdi, neri. Il poliziotto, sempre grazie alle informazioni prese dai documenti in questura, conosceva il giorno del suo compleanno. Eugenia Artaz era nata il 15 dicembre. Oggi era il 13. Era arrivato alla vigilia del compleanno della donna che saturava i suoi sogni e i suoi desideri senza aver preso ancora una decisione.

Che le regalo?

Era l'occasione buona per conoscerla facendole gli auguri accompagnati da un dono? E se l'avesse presa come un'invasione della privacy? Che tra l'altro, e Casella lo sapeva, era un reato penale? Se gli avesse chiesto: scusi, lei perché conosce il giorno del mio compleanno? Ma l'agente di polizia Ugo Casella sapeva, e non era difficile arrivarci, che un'occasione simile capita una volta all'anno. Certo, c'era anche l'onomastico. Anche quel giorno si possono fare auguri e un regalo. Ma lì c'era un problema grosso quanto una casa. Ugo Casella aveva controllato e di santa Eugenia ne esistevano due. Quale avrebbe festeggiato la Artaz, ammesso poi che per le genti del Nord l'onomastico avesse la stessa valenza che per i popoli meridionali? Era devota a santa Eugenia vergine e martire, e in quel caso era già bell'e passato perché cadeva il 25 luglio? Oppure era protetta da santa Eugenia di Roma? Il 25 dicembre? Che poi la festività si sarebbe andata a incasinare con il Natale e tutto il resto? No, doveva approfittare del compleanno. E mancavano una manciata di ore, ormai...

Che le regalo?

Inutile, ci batteva la testa da una settimana. Un profumo? Troppo personale. Sali da bagno? Come suggerirle un'igiene più attenta per il futuro. Un disco? E che musica ascoltava Eugenia? La cultura musicale di Ugo Casella era riassumibile nei cd che si trovano a 5 euro nei cestoni degli autogrill.

Fiori!

L'idea gli venne così, spontanea. Fiori. Magari con un bel bigliettino. Lo avrebbe dovuto firmare? Perché no, si disse. «Auguri da parte di Casella Ugo». Già, ma lei sapeva chi fosse? Certo che lo sapeva, pensò, sul citofono c'era scritto il suo cognome, Casella interno 5. Però lui stesso era il primo a non conoscere i suoi vicini, tantomeno i loro cognomi, escludendo Eugenia Artaz ovviamente. E alle riunioni di condominio più o meno capiva se a parlare era quello dell'attico e se a tenere il registro era il pensionato del piano rialzato. No, avrebbe scritto: «Auguri da parte di Casella Ugo, quello del secondo piano».

Squallido, si disse. Ma qualcosa gli sarebbe venuto in mente. Magari con un piccolo aiuto della fioraia. E si sa, le donne certe cose sanno farle bene. Sì, regalarle dei fiori era proprio una bella idea, poi decise di tornare a casa.

Rocco trovò Gabriele e Cecilia seduti a tavola. Mangiavano una zuppa. Lupa corse a prendersi un pezzo di pane. «Non alzatevi, tranquilli» disse togliendosi il loden.

«Ce n'è anche per te se vuoi».

«Cos'è?».

«Zuppa di farro» rispose Cecilia. Rocco raggiunse il tavolo. Avevano apparecchiato anche per lui. «È calda?».

«Mmm». Gabriele annuì con la bocca piena.

«Mi cambio e vengo...».

«Sì, in effetti sei ridotto male» gli disse il ragazzo. «Non smette, eh?».

«No, se ti riferisci alla pioggia».

Poco dopo Rocco rientrò frizionandosi i capelli con un asciugamano e prese posto a tavola. Cecilia gli versò la zuppa nel piatto. «Che mi racconti, Cecilia?».

«Che vorresti sapere?».

«Be', ne avresti di cose da dirmi. Per esempio, sei stata in banca?».

Cecilia richiuse la pentola col coperchio. «Sì, abbiamo iniziato le pratiche».

Il vicequestore si mise il tovagliolo sulle ginocchia. «Bella notizia».

«Rocco, ma la posta la controlli?» fece Gabriele staccando con un morso un pezzo di pane.

«C'era una regola mi pare...». Rocco mandò giù il primo cucchiaio di zuppa. Era squisita. «Ora non ricordo il numero...».

«Era la regola numero 3» intervenne Cecilia. «Non ci si fanno i fatti di Rocco».

«Ah già, è vero... lo dicevo per te, Rocco. Io ho dato una sbirciatina...».

«Contravvenendo di nuovo alla terza regola».

«Sì... ma forse dovresti dare un'occhiata». Il ragazzo si alzò da tavola, afferrò una busta blu dal mobile dell'ingresso e la consegnò a Rocco.

«Cos'è?». Non c'era francobollo. Solo una scritta: «per Rocco». Nessun mittente. Rocco la aprì. Dentro un foglio scritto a penna, la grafia sembrava femminile.

Caro Rocco... forse...

Interruppe la lettura. Si mise la lettera in tasca. «Dopo cena, ora non ho voglia».

La curiosità di Gabriele fuoriusciva dagli occhi come un fiume in piena.

«E non ho voglia di condividerla con te».

«Ricevuto... che c'è per secondo, mamma?».

Dopo la doccia bollente, il bagno era avvolto in una nuvola di vapore. Spannò lo specchio e decise di farsi la barba, tanto al mattino non gli riusciva mai. Si passò il sapone, cominciò a radersi, poi notò i pantaloni appesi al gancio della porta. Dalla tasca spuntava il foglio blu. Finì di radersi, la pelle secca urlava e chiodi rosso sangue punteggiavano le guance e il collo. Si passò una mano di dopobarba stirando la pelle del viso. Prese la busta, si sedette sul water e cominciò a leggere la lettera.

Caro Rocco,

forse strapperai questa lettera prima ancora di arrivare alla fine, ma io ci provo lo stesso. È passato tanto tempo, giorni in cui ho ripensato a quella sera al ristorante, a te, a quello che ci è successo di cui, credimi, io porto la responsabilità ma non la colpa. Tante volte nei mesi in cui siamo stati insieme ho provato a parlarti ma poi non trovavo mai il coraggio di dirti la verità. Non potevo. E più ti conoscevo, più diventava difficile fare il mio dovere, perché di dovere si trattava. Mi sono avvicinata a te sapendo che non avrei dovuto, ma non potevo fermarmi. Hai presente le farfalle notturne con la luce? Mi sono bruciata anche io. Non ti chiedo di perdonarmi, so che non puoi, solo di comprendermi. Ti ho mentito, Rocco, lo sappiamo. Su una cosa però sono stata sincera: io di te mi ero innamorata per davvero, senza volerlo ci sono cascata e adesso sono qui a pensare ad Aosta, l'avresti mai detto?, perché lì ci sei tu. È un pensiero sciocco il mio, lo so, chi mente difficilmente ha diritto di chiedere, come si fa a capire quando un bugiardo sta dicendo la verità? Ora te la sto dicendo, puoi crederci o no. Sogno un giorno in cui io ti possa parlare di nuovo, guardandoti negli occhi per farti capire quanto ti ami. E sono sicura che quando tutto questo sarà solo un brutto ricordo, capirai me e le mie scelte.

Con il cuore,

CATERINA

Strappò la lettera e gettò i frammenti nel water. Poi tirò l'acqua. Aveva solo voglia di dormire.

Più semplice a dirsi che a farsi. La sveglia indicava le undici e la pioggia scivolava melmosa sul vetro della finestra che rifletteva sul soffitto la luce densa della strada. Si alzò dal letto e si andò ad affacciare. La città era sotto assedio, finché i cittadini non si fossero arresi l'acqua avrebbe continuato a cadere incessante. Ma Rocco si era già arreso, da un pezzo, dunque perché, si chiedeva, il cielo restava chiuso? Perché le notti si erano trasformate in un terzo grado che andava avanti ormai da anni? Un interrogatorio inutile, perché risposte da dare non ce n'erano. Non ne usciva. Tornava sempre lì.

Facciamo un patto. Ho capito che la luna deve sparire sennò non vieni, ma facciamo un patto. Quando non si vede niente, e qui non si vede niente, da giorni, dovresti venire. La luna se non la vedi non c'è. È giusto o no?

«Mi sa che hai ragione...».

La voce. Viene dalla poltrona vicino alla finestra.

«Ciao... non riesco a dormire».

«Lo so, è mezz'ora che parli da solo».

Ora gli occhi si sono abituati al buio, la vedo. Sta seduta sulla poltrona, non sorride, qualcosa non va. «Che c'è?».

«Non mi piace quando sembri una mosca in una stanza che non trova la finestra per scappare. Non mi piacciono i tuoi occhi, Rocco. Lo sai? Hai gli occhi prigionieri».

«Che vuol dire?».

«Che non sono liberi. Guardano sempre in basso, non li alzi mai?».

«Li alzo sempre».

«Non li alzi invece. Guardi la strada, le macchine, il cielo, è vero, ma non li alzi sul serio. Stai sempre con gli occhi chiusi. Sono prigionieri. Sei tu che li hai ridotti così».

Non capisco. «Non capisco».

«Dipende da te. Li devi lavare, devi liberarli, devi guardare coi tuoi occhi di prima, Rocco, sennò non vedi niente».

«Mari', la vita mia è finita sei anni fa. Tutto quello che è venuto dopo è solo un caso».

«E ci hai mai pensato che stai dicendo una sciocchezza?».

«Non è una sciocchezza! È la verità!».

«Ma che ne sai tu?». Alza la voce. È la prima volta che lo fa. Da tanto tempo. «Puoi sentire il calore delle cose, puoi vedere il sole, l'alba e la notte, i profumi, puoi carezzare il tuo cane, abbracciare Gabriele, una donna...» e mi guarda. È arrivata al punto. «Cosa ti sconvolge, che ti dico una cosa simile? Sono anni che te lo ripeto ma non mi stai a sentire».

«Io ti ascolto, Mari'... ma una cosa è sentire, un'altra è capire».

«Non ti giudico mica, Rocco. L'ho fatto una volta sola, ti ricordi?».

Certo che me lo ricordo. «Quando hai scoperto le carte della banca».

«Adesso la cosa migliore è che non puoi mentirmi, anche perché mentirmi sarebbe inutile».

Mi guarda. «Che vuoi sapere?».

«Cosa posso voler sapere che non so già?».

Ha ragione. Lo sa.

«Rocco, mi dispiace...».

«Cosa ti dispiace?».

«Che non ce la fai. Eppure è facile, Rocco, amore mio, dipende da te».

Accanto alla porta, Cecilia guardò spaventata il figlio. «Che fa?».

«Parla...» rispose il ragazzo.

«Ma chi c'è nella stanza?».

Gabriele sorrise appena. «Sua moglie».

Cecilia aggrottò le sopracciglia. «Sua...?».

Gabriele annuì, poi se ne tornò a letto. Cecilia lo seguì. «E tu come lo sai?».

«Lo so...». Si infilò sotto le coperte.

«E da quando lo fa?».

«Mi sa da tanto tempo. All'inizio io pensavo parlasse con Lupa. Poi invece... Tu per esempio parli mai con nonna?».

«Io? Amore no, nonna è...» stava per dire morta, ma si fermò sentendosi un'idiota. «No, la porto con me, ma non ci parlo».

«Secondo me fai male». Si mise a pancia sotto e spense l'abat-jour.

Sabato

La pioggia dopo giorni di caduta insistente aveva dichiarato una tregua lasciando fango, buche nelle strade e tronchi d'albero a discendere la Dora come gommoni per il rafting. Il sole coperto dalle nuvole, la temperatura poco sopra i 4 gradi, veniva voglia di starsene a casa sotto le coperte e non uscire a meno che uno non dovesse recarsi al lavoro oppure fosse appena andato in pensione e ogni giornata era un premio, dopo anni di doveri, da strappare con le unghie e con i denti al tempo che passa. Quel freddo e quel cielo grigio non impedivano quindi a Ada e a Giuseppe D'Aquino, pensionati da due anni, di dedicarsi al loro sport preferito, senza orari e senza dover chiedere ferie anticipate e permessi. I coniugi praticavano la pesca no kill. Poche regole semplici. Ami singoli senza ardiglione, ributtare il pesce in acqua dopo essersi lavati le mani e aver maneggiato la preda il meno possibile. Natura, paesaggio, calma e tranquillità.

Mentre Ada piazzava i seggiolini sul greto del fiume, Giuseppe aveva preparato le canne e le esche. Nel frigo portatile c'erano le birre e i panini. Al posto della radio avevano fatto un salto di qualità: un iPod amplificato con Mozart e i valzer di Waldteufel, secondo la coppia le migliori musiche abbinate a quei paesaggi. Giuseppe s'era bevuto una bella tazza di decaffeinato e, come c'era da aspettarsi, corse al cespuglio lì vicino a liberare la vescica.

«È meglio di un diuretico, eh?» fece Ada.

Il marito rideva trotterellando verso la macchia. Si slacciò la patta e cominciò a urinare a occhi chiusi. Finito guardò in basso per chiudersi la lampo. Nel cespuglio in mezzo ai sassi fluviali c'era un guanto color carne. Si avvicinò curioso di scoprire come fosse finito su un greto del fiume, in quel posticino che a parte lui sua moglie e il cavalier Atanasio nessun altro frequentava. Forse una dimenticanza proprio del cavaliere? Oppure la corrente impetuosa della Dora? Inforcò gli occhiali che penzolavano da una fettuccia al collo. Il sangue si gelò mentre i testicoli si ritiravano nello scroto come artigli di un gatto. Non era un guanto. Era una mano.

«Ada! Ada!» urlò due volte.

«Che c'è?».

«Ada, mio Dio!».

Con un sorriso ebete l'agente D'Intino saliva le scale. Non guardava dove metteva i piedi, avanzava un gradino dopo l'altro come trascinato dalla forza d'inerzia. La sua testa era ancora al ristorante dove aveva passato una bellissima serata con il suo vecchio amico di sempre, Nenè, anche lui trasferito in Valle all'ufficio postale di Pont-Saint-Martin. Erano andati a mangiare una pizza in centro e ricordato i bei tempi andati delle scuole quando l'unico problema era sfangare l'interrogazione o spiare nel bagno delle femmine dalla finestrella sopra la porta. Prima del profiterole però Nenè era diventato serio. Gli aveva parlato di Pupa e D'Intino a quel nome era diventato rosso come la mari e monti che s'era appena sbafato. Pupa Iezzi era ancora una ferita aperta nel cuore del poliziotto. Una vecchia fiamma, a dire il vero l'unica nella sua vita. Erano stati insieme dieci giorni, tanti anni prima, D'Intino non ricordava il motivo per cui si erano lasciati. Da allora Pupa Iezzi s'era incistata nel suo cuore. Ogni tanto si scrivevano delle mail, a volte degli sms, ma niente più di un fugace saluto. Poi tre anni prima la coltellata. Pupa era convolata a nozze con Carlo Scopa, il ragioniere del paese. Pupa invitò D'Intino al matrimonio ma l'agente non se la sentì. Trovò una scusa di lavoro e non partecipò a quello che per lui era un funerale, preferì quindi soffrire a distanza. Immaginava la funzione, lo scambio degli anelli, le foto, il riso, il pranzo, la luna di miele a Lanzarote. Avrebbe dovuto esserci lui e non Carlo Scopa la prima notte di nozze nel letto con Pupa. Da quel giorno interruppe ogni scambio epistolare e cancellò il numero di lei dalla rubrica del suo cellulare. O meglio, era nelle sue intenzioni, ma una cosa è volerlo un'altra è farlo. Ogni volta che si trovava davanti al display acceso sul contatto Pupa Iezzi il dito gli tremava e non riusciva a premere il simbolo del cestino. Ci pensò il fato quando una fredda mattina di ottobre volle fargli cadere il cellulare nella tazza del cesso. D'Intino impiegò tre settimane a recuperare i 30 numeri che aveva in memoria. Quello di Pupa ormai era andato. E l'agente interpretò la disgrazia come un segno del cielo. La sera prima, aspettando il dolce e il limoncello, Nenè gli aveva raccontato che un anno fa Carlo Scopa aveva lasciato questa terra in un incidente sull'asse attrezzato Pescara-Chieti e Pupa proprio qualche giorno prima gli aveva chiesto di Domenico. «Come sta? Che fa su ad Aosta?». Nenè l'aveva sparata grossa, memore dell'amore mai sopito del suo amico del cuore, imbottendo Pupa di storie al limite del credibile ma convinto di averle lasciato la sensazione che Domenico D'Intino era uno che la vita se la godeva, che viveva pericolosamente il suo mestiere di poliziotto, che aveva avuto parecchie promozioni e anche diverse avventure. «Così gli si' dette?» aveva chiesto D'Intino impallidendo.

«Je so' dette che passi di letto in letto come nu farfallone, ma non hai ancora trovato la femmina che ti sa piglia'. Quella teneva gli occhi luccicanti a pensare a te, Frangù».

Nenè non aveva sbagliato il nome di Domenico. Al paese tutti lo chiamavano Frangù, Franco, anche se come diminutivo col suo nome di battesimo non c'entrava niente. Lui si chiamava Domenico, al massimo ci si sarebbe aspettato un Mimmo, ma nei paesi non sempre le cose prendono la via più logica. Fatto fu che i genitori di Domenico D'Intino avrebbero voluto chiamarlo Franco, in onore del nonno materno, poi però la sera prima di andare a registrare il nome all'anagrafe avevano litigato tirandosi i piatti e il padre decise che mai avrebbe dato a suo figlio, la luce dei suoi occhi, il nome del suocero. Aveva optato per Tonino, il nome di suo padre. Ma davanti all'ufficiale dell'anagrafe ci ripensò. Scegliere il nome di suo padre al posto di quello del suocero avrebbe significato non riconciliarsi più con sua moglie. Era troppo. In dubbio ascoltò allora il suggerimento dell'impiegato comunale: «Chiamale Domenico. Che Mimmo è nu belle nome». Si convinse e così registrò suo figlio come Domenico D'Intino, nato a Mozzagrogna provincia di Chieti il 2 novembre 1976. La cosa scatenò altre liti in famiglia fra moglie e marito, liti di cui al paese tutti vennero a conoscenza nei più minimi dettagli. E così da allora tutta Mozzagrogna chiamò D'Intino Frangù, Francuccio, in ricordo di quello screzio familiare.

«E lei? Che t'ha detto?» aveva chiesto D'Intino, che pendeva dalle labbra dell'amico e il profiterole non lo degnava neanche di uno sguardo. Nenè invece s'era infilato un bignè in bocca, l'aveva assaporato, masticato, poi come se niente fosse gli aveva rivelato: «Mi ha chiesto il tuo numero!».

Quella mattina di fine autunno D'Intino saliva le scale verso l'ufficio di Rocco Schiavone con una sola idea in testa: un permesso. Voleva andarsene tre giorni a Mozzagrogna, rivedere Pupa e scoprire se c'era ancora posto per lui.

Arrivò alla porta e bussò incerto. Sentì la voce del capo urlare: «Aspetta D'Intino!», quello ormai lo riconosceva dal solo modo di bussare. Attese. Poi finalmente la porta si spalancò e apparve il vicequestore in una nuvola di fumo che puzzava di rosmarino vecchio. «Dotto' buongiorno, come va?».

«Che vuoi, D'Intino?».

«Due parole veloci veloci... posso?».

Rocco alzò gli occhi al cielo e si fece da parte per farlo entrare. «Ma tiene sempre la finestra aperta?».

«Continui a non farti i cazzi tuoi?». Lupa dal divanetto scodinzolava e osservava l'agente.

«Che bella che è Lupa. Come sta?».

«Senti D'Inti', vai al dunque che non ho tempo».

«Allora dotto', io sono un lavoratore onesto, no? Non manco mai, sto sempre pronto e all'erta, obbedisco a qualsiasi ordine mi dà e...».

Il vicequestore nervoso cominciò ad aprire e stringere i pugni. «Vai al sodo D'Inti', di che hai bisogno?».

Il poliziotto abbassò il capo. «Un prmss...».

«Non ho capito».

«Se posso avere un permesso di tre giorni per andare a lu paese».

«È successo qualcosa?».

«Pupa».

«Non ti seguo».

«Mo' fa un anno che sa morte Carlo Scopa e Pupa ha chiesto di me. Allora je volevo anda' giù a vede' che se po' fa', magari mi pensa ancora».

Rocco annuì severo. «E questa Pupa com'è? È bella?».

«Dotto', l'avesse vede'! Da bardash era bellissima ma pure mo' che tiene quasi quarant'anni è bellissima».

«Ma tu a 'sta Pupa gli risulti?».

«Nun so' capite».

«Dico, tu a 'sta Pupa piaci?».
«Mi sa di sì, dotto'».
«È una della Croce Rossa?».
«Come?».
«Protezione civile? Fa volontariato?».
«Le giuro dotto' che non stenghe a capi'?».
«È cieca, sorda, è demente?».
«No, che mi ricordo io Pupa sta bene. Ma perché?».
«Niente D'Inti'... allora tre giorni hai detto?».
«Solo tre giorni, dotto'...».
«E va bene, prenditi 'sti tre giorni, dopo ti faccio la richiesta».
«Grazie, dotto'!» e quasi lo stava abbracciando, ma il viso serio del vicequestore lo arrestò. «Poi dotto' so' pensate a una cosa».
«E qui comincio a tremare».
«Lei mo' a Casella lo chiama Ugo, a Pierron Italo, a Scipioni Antonio, perché a me mi chiama solo D'Intino? Io mi chiamo Mimmo, cioè Domenico».
«Va bene Domenico, Mimmo».
«Grazie, ci tenevo. Anche se a lu paese mi chiamano Frangu'. Che sarebbe Franco».
«E perché?».
«Allora deve sapere che a papà lu nome di nonno da parte di mamma che era Franco non gli piaceva e a mamma Antonio, lu nome di nonno di patreme, manco, mo' allora s'hanno fatte 'na litigata che tutta Mozzagrogna ha sentite e quando è andato all'anagrafe papà m'ha messo Domenico. Ecco perché mi chiamano tutti Frangu', solo a lu paese però».

Rocco lo guardava con occhi vuoti. «D'Intino, Mimmo Franco, come cazzo ti chiami, non ho capito niente e non voglio condividere culti e riti tribali del tuo popolo. Ora torna a Mozzagrogna fra le tue genti e non scassarmi più i coglioni». Andò alla porta e la spalancò.

«Grazie Rocco» fece D'Intino. Il vicequestore lo guardò con occhi di fuoco. «Volevo di', grazie dottor Schiavone».

«Meglio».

D'Intino si voltò e quasi andò a scontrarsi con Italo. Pierron aveva la faccia triste e stava con le braccia spalancate.

«No!» disse Rocco. Italo annuì. Il vicequestore mollò un calcio alla porta con la suola della scarpa. «No, no e no, cazzo!» poi guardò ancora Italo.

«Dove?».

«Vicino alla statale 26, qualche chilometro a sud di Arnad. Sul greto della Dora».

«D'Intino!» gridò Rocco. L'agente si fermò proprio alla fine del corridoio. «Dica, dotto'».

«Scordati il permesso!» e sbattendo la porta rientrò nel suo ufficio.

La mano spuntava da un mucchio di sassi bianchi accanto a un cespuglio. Rocco e Alberto Fumagalli la osservavano in silenzio. Il fiume correva a neanche due metri e il cielo minacciava ancora pioggia. Michela Gambino s'era raccomandata, prima di scoprire il cadavere voleva esaminare sassi e terriccio. In attesa che gli agenti della scientifica e il sostituto si infilassero tute soprascarpe e guanti, Rocco fumava una sigaretta e guardava i coniugi D'Aquino pallidi e spettinati seduti su due piccole seggiole di stoffa verde con tanto di portabibita sul bracciolo. Ai loro piedi il thermos e un frigo portavivande. Le canne da pesca erano ancora poggiate per terra. Schiavone scuoteva la testa e malediceva quella giornata infausta che gli aveva regalato questa sorpresa indesiderata, come tutte le sorprese. «Io dico che le piogge avranno smottato il terreno ed è venuta fuori» disse Alberto.

«Può essere. Una sepoltura frettolosa, no?».

«Non facevano prima a buttarlo nel fiume?».

«Sarebbe venuto a galla lo stesso. Giù a Bard le acque sono sbarrate. Hanno preferito così...» rispose Rocco, che poi si allontanò per avvicinarsi alla coppia. «'Giorno» disse, «come va?».

Giuseppe strinse le labbra scuotendo la testa. La moglie se ne stava con le mani poggiate sulle ginocchia. Avevano la stessa giacca a vento azzurra e portavano ai piedi scarpe da trekking dell'identica marca. «Brutta storia, eh? Lei come si chiama?».

«Io sono Giuseppe D'Aquino, lei è mia moglie Ada».

«Pescavate?».

«Volevamo» fece la donna, «ma adesso chi se la sente?».

«Vuole vedere i tesserini?».

«Diciamo che non me ne può fregare di meno. Che c'è lì dentro?» chiese indicando il thermos.

«Decaffeinato. Ne vuole?».

«Grazie».

Ada versò il liquido fumante nel bicchiere che fungeva da tappo e lo offrì al poliziotto. «È già zuccherato, poco perché dobbiamo stare attenti alla glicemia».

«E fa bene». Rocco lo sorseggiò. Era caldo e piacevole. Restituì il bicchiere con un sorriso. «Grazie, ci voleva proprio!».

Ada rimise a posto il thermos. «Vuole anche un panino?» chiese indicando il frigo portatile.

«A che ce l'ha?».

«Prosciutto e stracchino, poi...».

«Alt! Non vada oltre. Prosciutto e stracchino è il principe dei panini secondo me».

«Vero?».

Giuseppe fece una smorfia alla moglie. «Tranquillo Giuseppe, ne avevo fatti tre con prosciutto e stracchino». Il marito recuperò il sorriso mentre la donna apriva i ganci del frigo. «Ecco a lei» porse un involucro di carta stagnola a Rocco che lo scartò. Diede un primo morso. «Com'è?».

«Signora mia, mi chiede com'è? È un capolavoro!».

«Ma come si fa a mangiare con... con quello lì sotto?» chiese Giuseppe.

«Provi a fare il mio lavoro per vent'anni e riuscirà anche a fare l'amore».

«Ah, per quello non abbiamo problemi» e scoppiò a ridere mentre la moglie arrossì lusingata e gli mollò una gomitata.

«Buono?». Alberto aveva raggiunto il terzetto osservando con cupidigia la pagnottella.

«Prosciutto e stracchino» rispose Rocco masticando. Alberto si leccò il labbro.

«Ne vuole uno anche lei?» chiese Ada. «Ce l'ho anche mortadella e mozzarella, fontina lardo e funghetti».

«Quanto le devo?» chiese l'anatomopatologo. Ada scoppiò a ridere. «Offre la casa».

«Allora mortadella e mozzarella!» disse Alberto. La donna afferrò un altro involucro dal frigo. «Ecco a lei».

«Oh, a questo punto dammi quello prosciutto e stracchino» fece il marito, «non si sa mai qui finisce tutto».

«Un po' di caffè?».

«Magari» fecero in coro Giuseppe e Alberto.

«È bello qui» disse Rocco, «intendo col sole. Oggi mica tanto».

«Ah sì, è il nostro posto segreto».

«E cosa pescate?» chiese Alberto gustando il panino.

«Trote, ma le ributtiamo al fiume. Noi pratichiamo la pesca no kill».

Rocco annuì.

«Quando avete finito il picnic potete venire?» gridò Michela con le braccia ad anfora sui fianchi.

«Richiamati all'ordine» disse Rocco. «Be', signori D'Aquino, grazie tante per i panini e il caffè».

«Per così poco. Signor vicequestore, dobbiamo venire a fare la denuncia?».

«Tornatevene a casa, andate al cinema, a cena fuori, fate l'amore e dimenticatevi 'sto schifo».

«Sarà difficile» disse Giuseppe pulendosi le mani sui pantaloni, «dimenticare, intendo».

«Appunto dico, andate via prima che lo tiriamo fuori. Dopo sarà ancora peggio» e seguito da Alberto tornarono al cadavere. Michela aveva riposto i sassi raccolti intorno alla mano interrata in una cassetta di plastica.

«D'Intino e Deruta, forza» gridò Rocco.

«In due?» chiese Deruta con gli occhi sbarrati.

«Dov'è Casella?».

«Aveva chiesto un permesso per mezza mattinata».

«Proprio oggi lo doveva chiedere. Vabbè Italo, vieni ad aiutare».

Ma l'agente valdostano, che si teneva a distanza di sicurezza, alzò le mani in gesto di resa.

«Allora, Deruta D'Intino e Antonio, tiriamo fuori il corpo» ordinò Rocco guardandosi le scarpe già zuppe.

I tre agenti, scuri in volto, si chinarono, infilarono i guanti monouso e cominciarono a togliere le prime pietre. Le mettevano da parte accanto al cespuglio, pronte per gli esami della Gambino. La prima cosa che spuntò fu una manica di tessuto blu. Poi quando anche il braccio fu liberato dal terriccio e dai sassi all'altezza della spalla apparve un logo: Assovalue. Rocco guardò Alberto. Il medico fece un respiro profondo. «Qui non ci si capisce più una sega» commentò.

Ci misero più di mezz'ora a tirare fuori il cadavere di un uomo con indosso la divisa dell'istituto di vigilanza, cinturone senza pistola, ricoperto di terra e polvere. Sul viso insanguinato era visibile un foro di proiettile proprio in mezzo alla fronte, e Rocco chiuse gli occhi e si ritrovò dentro una fabbrica abbandonata, una notte d'estate di sei anni prima, dai tetti sfondati la luce della luna che illuminava il viso di Luigi Baiocchi, l'assassino di sua moglie, un foro in mezzo alla fronte, un piccolo foro nero e gli occhi spenti e senza vita. Anche quel giorno c'era puzza di acqua marcia e umidità, di ferro e morte. Puzza che resisteva anche nella buca scavata insieme a Sebastiano, coi piedi in mezzo alla terra che entrava nelle scarpe, il corpo di Luigi ricoperto una badilata dopo l'altra, col nero del terriccio a cancellare il viso spento e bianco come la pancia di una trota. Gli tornarono all'orecchio le parole dette all'amico sul terrazzo: «Se lo riportano su, quello ha la pallottola dentro e la pallottola è della mia pistola, Brizio».

«Oh dottore! C'è il nome!» gridò Antonio Scipioni facendo tornare Rocco sul greto della Dora di quel sabato di dicembre dell'anno 2013.

«Che dici?».

«Dico che c'è il nome sulla tasca del giubbotto, sulla targhetta» e indicò il cadavere. «Ruggero Maquignaz».

«Era l'altra guardia giurata del portavalori» fece Deruta.

«Era l'altra, sì...».

Ignaro di tutto Casella camminava diretto a via Tillier, dove c'era un fioraio. Dieci minuti a piedi nei quali avrebbe potuto rinunciare alla sua iniziativa. Ma l'agente decise di non farsi domande mettendosi a pensare ad altro. Così cominciò a ricordare San Severo provincia di Foggia, sua città natale che non visitava da più di un anno, alla sua Fiat Punto che aveva bisogno di un'aggiustatina, a cosa avrebbe mangiato per cena. Mai a Eugenia Artaz e al regalo forse azzardato che le stava per comprare senza mai averle rivolto la parola. Si ritrovò davanti alla vetrina del fioraio e senza indugiare entrò.

«Buongiorno» lo accolse una voce di donna. L'agente si guardò intorno. Il negozio sembrava vuoto.

«Qui!» sentì. Si girò. Dietro una selva di gigli si intravedeva il viso di una ragazza sui trent'anni coi capelli viola. «Desidera?».

«Devo fare un regalo».

La commessa uscì dal cespuglio multicolore e andò dietro al bancone, ci poggiò un paio di piccole cesoie e si mise in ascolto. «Bene. Per chi? Moglie? Fidanzata? Mamma? Suocera?».

Casella si grattò la testa. «È un po' difficile».

«Vediamo... tanto per cominciare, una donna?».

Casella annuì.

«Bene. Che rapporti ha con questa donna?».

All'agente sembrò di subire un terzo grado. «Rapporti... è la mia vicina di casa».

«Lite condominiale?» azzardò la ragazza.

«No».

«Vediamo...» alzò gli occhi al cielo e si portò l'indice sulle labbra. «Affittuaria?».

«Nemmeno».

«Portiera?».

«Manco».

La negoziante si azzittì e guardò Casella. «Se lei non mi aiuta io come faccio?».

«Ma perché vuole sapere?».

«Perché?» chiese scandalizzata. «I fiori parlano, signore mio. E io devo sapere a chi è diretto il regalo, altrimenti rischia una pessima figura».

«I fiori parlano?». Casella questa storia non l'aveva mai sentita.

«Ogni fiore dice una cosa diversa. Le faccio qualche esempio». Uscì dal bancone e si avvicinò a un secchio di metallo. «Queste sono azalee... l'azalea di solito si regala alla madre, perché indica la temperanza, oppure si usa per fare gli auguri di buona fortuna per un affare. Deve fare auguri di buona fortuna?».

«No».

«Allora passiamo a questo» e toccò un bel mazzo di fiori rosso scuro. «La dalia. La si regala per ringraziare, magari per un aiuto ricevuto. Vuole ringraziare, lei?».

«No».

«Allora la gardenia. Vede, la gardenia simboleggia la sincerità. Regalandola si invita una persona a essere più sincera, magari una donna un po' bugiardella... è bugiardella?».

«Ma no! Non lo so. Senta» fece Casella, «io neanche la conosco».

La fioraia aggrottò la fronte. «E le vuole fare un regalo?».

L'agente abbassò lo sguardo colpevole, poi prese coraggio. «È... è una donna che mi piace ma non ho il coraggio di dirglielo». Appena terminata la frase si sentì un imbecille. Alzò gli occhi. La ragazza era rimasta seria, compresa nel suo ruolo. L'agente si aspettava uno sguardo ironico, scanzonato, invece no. Una vera professionista, pensò.

«Allora la cosa si fa dura. Vi siete mai detti qualcosa?».

«Insomma. Diciamo che ogni volta che la incontro le dico: Buongiorno, e lei mi risponde: Buongiorno. Se le dico: Buonasera, lei dice: Buonasera!».

«Un po' pochino. Altro?».

Casella si grattò la testa. «No».

La commessa si morse le labbra. «Mi dispiace» disse grave, «dobbiamo andare sulla rosa. Ci andiamo?».

«E andiamoci...».

«Quanti anni ha la donna?».

«Ha superato la cinquantina».

«Ora mi segua attentamente. Le rose vanno a dozzine. Io, vista la sua indecisione, vorrei spiegarle meglio».

Casella s'era rotto i coglioni. Avesse sospettato tutta quella complicazione avrebbe optato per un tranquillo profumo al supermercato. Erano passati due anni dall'ultima volta che aveva comprato dei fiori, per la tomba di suo papà il giorno dei morti, e il fioraio del camposanto non gli aveva certo fatto quell'interrogatorio.

«Vado coi significati?».

«E vada...».

«Allora via la rosa rossa, lei non si è dichiarato e mi sembra eccessivo. Scarterei anche la pallida che è amicizia. Lei vuole essere suo amico?».

«Un po' di più».

«Ottimo. Allora le dico quello che le serve». Lenta si accostò a un mazzo di fiori. «Eccola qui. La rosa gialla e arancione!» e sparò un sorriso pieno di denti.

«Che vuol dire?».

«Passione, caro signore, passione! Lei il passo lo deve fare. Inutile tergiversare con un rosa arancio, fascino. No. Vada dritto allo scopo. La vuole conquistare? Allora glielo dica chiaro e tondo: passione! Lo vuole fare questo passo?».

Casella allargò le braccia. «S... sì?».

«E no! Deve essere convinto. Lei vuole questa donna? La desidera?».

E che le poteva dire? Che se la sognava nuda nel suo letto i giorni dispari e nuda sul tavolo quelli pari? Preferì restare sulle sue. «Sì. La... la desidero. Molto».

«Ottimo! 24 rose gialle e arancioni, ascolti me!» e cominciò a sceglierle dal vaso una per una.

«Senta, mi scusi, ma lei lo capirà?».

«Cosa?».

«Quello che significano queste rose?».

La fioraia lo guardò come fosse un insetto sul pavimento. «È una donna, signore mio. Certo che lo capirà».

Portati i fiori sul bancone tirò fuori una busta con un cartoncino. «Ora tocca a lei. Deve scrivere un messaggio». Gli allungò il foglio e una penna. «Si prenda il tempo che vuole mentre io incarto le 24 rose. Prego» e indicò un piccolo tavolino accanto all'entrata. Casella si sedette e cominciò a pensare.

Vuoto. Il cervello in bianco come il foglio che aveva davanti. Passarono due minuti. Si voltò verso la negoziante. «Non mi viene in mente niente».

La commessa sbuffò. «Cosa le vorrebbe dire?».

«Non... non lo so».

«Allora, facciamo così. Immagini che io sia lei».

«Lei è me?».

«No, lei è lei» e lo indicò, «io, invece, sono lei, la donna dei suoi sogni».

«Ah!». Casella alle cose ci arrivava, ma aveva i suoi tempi. «Bene, ho capito, lei fa finta di essere la mia vicina. Sono pronto».

«Ecco, ora si immagini che siamo sulle scale del condominio, ci siamo incontrati e lei mi dice una cosa carina. Forza».

L'agente si alzò in piedi. «Buongiorno!».

«Tutto qui? Vuole scrivere buongiorno sul bigliettino? Si sforzi, avanti».

«Come sta? Mi chiamo Ugo Casella».

Alla ragazza caddero le braccia. «Saltiamo la parte introduttiva e andiamo al sodo. Forza!».

«Io... abito sotto di lei... io...» sudava. Si deterse la fronte. «E mi chiedevo mi ha mai notato?».

«No».

«No che? Non va bene?».

«No, era la signora che rispondeva, non io. No, signore, non l'ho notata. Avrei dovuto?».

«Ma se la saluto ogni giorno!». Casella si stava innervosendo.

«Ma io non l'ho notata!».

«Ma che è cieca? Abito sotto a lei!».

La ragazza dai capelli viola scosse la testa. «Dio mio signore! E si sforzi!».

Casella rimase in silenzio per un secondo. «Ora chi parla, lei o la signora?».

«Io, la fioraia. Avanti, dica una cosa carina, tipo: l'ho

sempre ammirata, l'ho sempre osservata, lei è bellissima, lei invade i miei sogni».

«Come fa a saperlo?».

«Cosa?».

«Che me la sogno?».

«Non è una cosa così difficile, anzi piuttosto banalotta. Allora? Mi dica».

«Signora io... la desidero».

«Bene. Perché?».

«Perché? Perché lei è bella, io la penso sempre, io vorrei baciarla, vorrei portarla a letto e...».

«Stop! Si fermi» scuoteva la testa. «Non ci siamo. Lei esagera. A questo punto sa che le dico?».

«No».

«Una firma e basta. È la cosa migliore in questi casi».

«Cioè metto il mio nome?».

«No, quello di un suo collega».

Casella non colse l'ironia.

«E certo che deve mettere il suo nome!» esplose la fioraia. «Non faccia uno scarabocchio, lo scriva bene, faccia una firma leggibile per dirglielo in burocratese».

«Capito, capito» fece Casella un po' offeso dalla ramanzina della ragazza.

«Dunque?» chiese la fioraia.

«Domani è il suo compleanno. Allora le scrivo: tanti auguri e poi il mio nome?».

«Lei mi ha stancato, lo sa?».

«Ora di mezzo c'è un cadavere, dottor Baldi» fece

Rocco al telefono, «non è più solo una rapina a un portavalori».

«Sì... capisco...». Sentì un rumore, al magistrato era caduta la cornetta. «Quando avremo notizie più precise sui motivi e i tempi del decesso?».

«Fumagalli è già al lavoro. Spero nel pomeriggio di poterle dire qualcosa».

«Mi chiami quando va da lui. Non ci voleva, porca miseria, non ci voleva».

«Un morto fra le palle non ci vuole mai».

«Mica è sempre vero, Schiavone. Se dovessi scegliere io ogni tanto un morto, e le posso fare nomi e cognomi, non lo vedrei male, ma si sa, mica si può scegliere chi far morire».

«No, a meno che uno di mestiere faccia il killer...».

«Sì, ma spesso il killer agisce su ordinazione, non è che decide lui chi eliminare come vorrei fare io».

«E vabbè dottore, ogni tanto ci si può prendere una vacanza».

«Ci stiamo impelagando nuovamente in una discussione senza senso. Va bene, dovrò avvertire la mia collega, mi raccomando Schiavone, ci vada piano. Lo so che è una raccomandazione inutile con lei, ma almeno ci provi».

«Lei continua ad avere un'idea distorta di me».

«Dice?» e attaccò il telefono.

Rocco poggiò la cornetta. «Bel casino» mormorò. Italo e Antonio stavano a braccia conserte ognuno immerso nei suoi pensieri. «Porca puttana ladra!» urlò il vicequestore e con un cazzotto fece tremare la scrivania. «Non quadra! Brutti figli di puttana, non quadra».

«Come la vedo io, Rocco?».
«Vai Antonio».
«C'è stato un diverbio nella banda e gli altri l'hanno fatto fuori».
«O magari» intervenne Italo, «tre milioni diviso che so? Tre? È meglio che diviso quattro, no?».
«Questo è già il primo problema. Quanti sono? Allora diciamo uno era Maquignaz, poi doveva essercene un altro alla guida del camion e fanno due...».
«Probabilmente anche un altro che controlla la strada e aiuta».
«Sì, tre sembra essere un numero possibile. Io mi vado a fare quattro chiacchiere con l'autista. È uscito dall'ospedale?».
«Dimesso ieri...» rispose Antonio.
«Hai bisogno di me?» gli chiese Italo.
«No, vado da solo. Cercatemi Casella e vediamo se ha notizie. Una cosa è certa però...».
«Quale?» chiese Italo.
«Maquignaz, casa sua... il cibo nel frigo, le bollette...».
«Che vuoi dire?».
«Meditiamo su 'sta cosa, meditiamo...».
«Stai pensando che il morto non era della banda?».
«Non escludiamo niente, agente Pierron, proprio niente. Antonio, riguardati le presenze al casinò la notte della morte di Favre».
«Lo stiamo facendo da giorni e non ne caviamo niente».
«Sei ancora convinto che la rapina abbia a che fare con l'omicidio?» gli chiese Italo.

«Ora più che mai. Cerchiamo di capire qualcosa sugli spostamenti del cadavere nelle ultime ore. Avrà avuto un cellulare, no? Fattelo dare dal proprietario della Assovalue».

«Ricevuto».

«Antonio, mi dici qualcosa dell'avvocato Greco?».

«Vita normale. Se ne sta in studio, va al tribunale, pranza sempre al Buco».

«Stagli addosso. Ma soprattutto la notte».

«La notte?».

«Sì, quando tutti dormono e anche tu vorresti ma sei un poliziotto quindi non lo puoi fare. Va bene, Lupa tu stai qui a cuccia e con questo gli ordini sono finiti».

«Il questore».

«Che palle!» disse Rocco infilandosi il loden. «No, quello non ce la faccio».

«Quello sarei io?» e il viso di Costa apparve sull'uscio della porta.

«Figura de merda» mormorò appena Rocco. «No dottore, *quello* sarebbe il giornalista della "Gazzetta" che mi sta dando il cordoglio...».

«Proprio per questo venivo... mi faccia un caffè».

Rocco andò alla macchinetta mentre Antonio e Italo salutando si dileguarono. «C'è uno strano odore qui dentro, come di... cos'è? Salvia? Rosmarino?».

«Sandalo» rispose Schiavone infilando la cialda nel pertugio. «Ogni tanto accendo degli incensi per deodorare l'ambiente».

«Sandalo? A me pare più rosmarino».
«Avrò acceso quello allora... ecco a lei» gli allungò il bicchierino. Il questore osservò il contenuto.
«Bello, cremoso, me la devo fare anche io una macchinetta così...» prese un sorso. «Caspita se è buono. Allora Schiavone, tempo un paio di ore e i giornalai verranno in questura».
«A parte quello che sa, io novità non ne ho».
«Questo Maquignaz faceva parte della banda?».
«Sembrerebbe ma non ci metterei la...».
«... mano sul fuoco» finì la frase il dirigente. «Mi dice sempre così, lo sa?».
«È perché davvero non sono sicuro di niente».
«Trovi almeno un'altra espressione».
«Mi ci giocherei la palla destra?».
«Era meglio la mano sul fuoco» e finì il caffè. «Abbiamo dettagli?».
«Aspetto Fumagalli... nel pomeriggio saprò essere più preciso».
«Non le nascondo che adesso le cose si complicano. Intendo con la procura».
«Immagino».
«Mi dica che lei sta seguendo una pista».
«Sto seguendo una pista» rispose Rocco. Costa lo guardò per una manciata di secondi. «E allora?».
«Voleva che lo dicessi e gliel'ho detto, no?».
«Be', ma quale pista?».
«La rapina legata all'omicidio Favre».
«E questo lo sappiamo, ma io ai giornalai non lo dirò. Che altro?».

Rocco alzò le spalle. Costa poggiò le mani sui fianchi. «Tutto qui? Qual è 'sta pista, Schiavone?».

«Per ora vado odorando in giro».

«Va odorando in giro...».

«È quello che ho detto. La verità? Io speravo che Michelini, l'assassino di Favre, cantasse. Invece niente... almeno, Baldi non dà nuove... Dottore, il cadavere è stato ritrovato qualche ora fa, non può pretendere di più».

Come se avesse ricevuto un'offesa gravissima il questore si voltò e uscì dall'ufficio. Poi si fermò sull'uscio. «La sua reticenza è dovuta in qualche modo ai suoi incontri tardo pomeridiani con la mia ex moglie?».

Rocco percepì un prurito sul cuoio capelluto. «Non capisco».

«Lei ha incontrato Sandra Buccellato, la mia ex moglie, posso sapere cos'è che vi lega?».

«Niente. Come tutti i giornalisti lei cerca di estirpare notizie. Fa il suo mestiere e io il mio».

«E cioè?».

«Non le dico un cazzo».

«Lo spero per lei». Voltò le spalle e se ne andò.

«Come si sente oggi?». Enrico Manetti indossava una tuta da ginnastica. A Rocco non piacevano gli uomini in tuta. Andava bene per i carcerati e per chi lavora nello sport. Usato come abito di tutti i giorni gli dava il voltastomaco. Se alla tuta venivano poi abbinate le ciabatte di plastica con il fascione e il calzino bianco, l'orrore diventava insostenibile. Pallido in viso, capelli spettinati, guardava Rocco con gli occhietti cerchiati di nero. I capelli rasati aumentavano il pallore del viso e del cranio. Suo padre Carlo se ne stava seduto davanti alla finestra, con piccoli tocchi di pennello aggiustava il ritratto del micio. Immerso nel suo lavoro ma con un orecchio attento al dialogo fra il poliziotto e suo figlio, teneva una sigaretta in bocca e l'occhio destro strizzato per le volute di fumo che si arrampicavano sulle guance e si spalmavano sul bulbo oculare. «Va molto meglio, grazie. Ogni tanto mi gira un po' la testa ma il dottore dice che dipende dal mezzo congelamento che ho rischiato».

Rocco annuì. Non lo aveva guardato bene in ospedale, solo adesso nel tepore della casa notò una certa somiglianza. A pagina 42 della vecchia enciclopedia degli animali c'era il Mola mola o pesce luna, il pesce osseo più grande esistente in natura. Oltre alla faccia a padella che ricordava la maschera funeraria di Agamennone e il colorito smunto della carnagione, quello che accostava Enrico Manetti all'animale erano gli occhi piccoli e vicini e la boccuccia a culo di gallina che disegnava il volto di un perenne stupore.

«Le cose sono precipitate» gli disse Rocco.

«In che senso?».

«Il suo collega, Maquignaz. L'abbiamo ritrovato sul greto del fiume».

Enrico sgranò gli occhi. «Morto...?».

«Morto».

Anche il padre girò il capo spalancando la bocca. La sigaretta gli si era appiccicata al labbro inferiore.

«Oh porca... questa cosa non me la spiego. Non che mi dispiaccia, sia chiaro, quel figlio di buona donna mi ha minacciato con una pistola».

«Lei non ha visto nessun altro della banda? Ha un'idea di quanti fossero?».

«Commissario...».

«Vicequestore».

«Vicequestore, gliel'ho detto, appena entrati in quel camion mi hanno addormentato. Mi ha addormentato anzi, Maquignaz».

«Dove teneva la siringa?».

Enrico scosse la testa. «Non me lo ricordo. Solo la puntura... ecco proprio qui» e si indicò l'interno del gomito sinistro. «Poi ho cominciato a vedere le cose ballare... poi nero, non ricordo più niente».

«La pistola che ha usato Maquignaz per minacciarla era quella che avete in dotazione o un'altra?».

«Credo fosse quella in dotazione. Vede, vicequestore, noi siamo allenati per situazioni di pericolo, ma una cosa è la teoria e la palestra, un'altra è la realtà. E poi io sono pronto a un attacco, non a un collega che mi minaccia».

Rocco si voltò verso Carlo che era tornato a dipingere in silenzio col fumo della sigaretta in controluce che gli creava un curioso alone trasparente intorno al profilo. «Inutile chiederle se negli ultimi tempi il suo collega si comportava stranamente...».

«Che io abbia notato no, tutto normale. Poi non è che noi fossimo amici. Fuori dal lavoro non ci frequentavamo. So che era divorziato. Ma a parte questo poco o niente. Sì, il calcio, le donne, il meteo, insomma le solite cose».

«Lei è sposato? Fidanzato?».

«No... preferisco vivere alle spalle di mio padre» disse sorridendo. Carlo dalla finestra emise un verso gutturale ironico.

«Mi promette che qualunque cosa...».

«La contatto, ne stia certo. Senta dottore, secondo lei passo i guai?».

«E perché dovrebbe? Fino a prova contraria lei è la vittima» e sorridendo Rocco si alzò.

L'agente Ugo Casella era molto preoccupato. Fra qualche ora Eugenia Artaz avrebbe ricevuto il mazzo di rose con il suo bigliettino. Come avrebbe reagito? Avrebbe voluto tornare indietro, fermare la fioraia, riprendersi i soldi, cinquantacinque euro compresa consegna, mica uno scherzo, e aspettare l'occasione per attaccare bottone con un motivo qualsiasi. Dopo aver comprato quel regalo azzardato gli erano venuti in mente decine di modi per avvicinare Eugenia in maniera elegante. Per esempio, quello dello scambio di persona. Poteva aspettarla sotto casa, poi, una volta che quella si fosse avvicinata al portone, le sarebbe corso incontro urlando: «Paola!». Sicuro si sarebbe voltata con una faccia sorpresa. A quel punto Ugo le avrebbe detto: «Mi scusi! L'ho scambiata per una mia carissima amica. Mi permette? Apro io il portone. Sono Casella, abito qui anch'io, ci siamo già visti, no?» e poi da cosa sarebbe nata cosa. «Le andrebbe di andare a cena da...» e lì l'immaginazione di

Casella si piantò. Non conosceva neanche un ristorante di Aosta. A parte una pizzeria al taglio e un kebab vicino alla stazione. E mica poteva dirle: «Ci andiamo a prendere un bel trancio di mozzarella e funghi?». Dove portare una signora e fare una discreta figura? Con tali quesiti che gli vorticavano per la testa, quasi andò a scontrarsi con il vicequestore.

«Casella! Qualche novità sulla rete?».

«Niente dottore, non trovo niente».

«E sai se abbiamo qualcosa sui nomi dei presenti al casinò la notte dell'omicidio Favre?».

«Anche lì buio totale. A parte quelli del riciclaggio non abbiamo notato niente di che, neanche un nome che si ripetesse nelle settimane passate».

«Insomma un cazzo». Si avviò verso l'entrata della questura. Casella lo seguiva. «Ho saputo dell'omicidio. Allora quel Maquignaz non era nella banda».

Cominciarono a salire le scale. «Sicuro Ugo? O forse sì e hanno litigato?».

Casella scuoteva il testone. «Io dico che prima troviamo dove hanno portato i soldi e prima risolviamo».

Rocco si arrestò sul gradino. «A quest'ora i soldi sono belli che andati all'estero, come minimo».

Spuntò fuori Deruta col viso rosso e il fiatone. «Agente Deruta, ma pure scendendo le scale t'affatichi?».

«Dottore, a lei cercavo. Allora, la targa di Nova Gorica del camion risulta rubata niente meno che dieci mesi fa a un tir a Monfalcone».

«Ah...».

«Era falsa insomma».

«Deruta, ho capito, mica so' scemo. Mo' mi servono tre cose. La prima è: chi si intende di agricoltura?».

«D'Intino. A Mozzagrogna lo zio tiene la campagna» rispose Casella.

«Oh Madonna, solo lui?».

«Che io sappia...».

«Allora speditelo giù dalla Gambino e ditegli di aspettarmi fuori la stanza, fuori mi raccomando, che non entri! La seconda, mandate Pierron alla palestra a rimediare l'indirizzo di Paolo il gigante, ditegli così, lui sa a chi mi riferisco...».

«Lo consideri fatto» affermò l'agente Casella.

«La terza?» chiese Deruta.

«Alla terza ci pensi tu. Nello schedario nella mia stanza terzo cassetto a sinistra trovi la pappa di Lupa. Versane un pugno nella ciotola e cambiale l'acqua».

«Signorsì».

«Bene, al lavoro». Deruta si avviò verso l'ufficio di Schiavone, Casella invece lo seguì per un paio di metri. «Perché mi talloni? Che vuoi?».

«Mi serve un consiglio».

«Dimmi pure, Ugo».

«Se dovesse invitare una persona importante a un ristorante qui ad Aosta, dove la porterebbe?».

«Boh... quanto vuoi spendere?».

«Una ventina?».

Rocco lo guardò. «Case', 'na ventina de euro manco in pizzeria».

«Intendevo a testa».

«È uguale. Donna?».

«Forse...».

Rocco sbuffò. «Cioè devi invitare una persona importante e non ti sei ancora accertato sul sesso?».

«No, sì sì, voglio dire... donna, sì».

«Avete già...».

L'agente fece una smorfia. «Non capisco».

«Case', avete già... a letto siete già stati o è un primo approccio?».

«Primissimo. A dire il vero non siamo mai usciti insieme».

«Capito. Vuoi fare bella figura?».

Casella sorrise.

«Allora mettiti in testa che sotto i 50 a cranio non ce la fai. Non è solo la cena, è il vino. Capisci?».

«Capisco».

«Tipo sportivo o classico?».

«Chi?».

Rocco alzò gli occhi al cielo. «Madonna Case', mi stai sfibrando. Come chi? La donna!».

«Ah... un po' sportiva ma è molto classica».

«Silviani al Duca e stai sul raffinato ma ti avverto che parte la piotta, oppure se vuoi spendere un po' di meno ma vuoi andare sul sicuro, grande cucina e servizio splendido, Sur la place. Oppure una trattoria a Croix de Ville. Serve altro?».

«No, grazie, grazie mille. Mi sa che vado a questo Sur la place».

«Bravo, ottima scelta. L'importante è non andare al Grottino che è il mio ristorante e lì non ti ci voglio incontrare».

«Signornò» e portandosi la mano alla fronte si voltò e sparì nel corridoio.

Rocco scese le scale che portavano al piano seminterrato, nel regno della Gambino. Ormai si era abituato all'abbassamento di temperatura che percepiva già lungo la prima rampa, ma quando spinse il maniglione antipanico per aprire la porta del laboratorio fu invaso da una corrente d'aria calda. «Michela?».

Il sostituto uscì dalla stanza attigua, portava una semplice e leggera camicetta di seta. Sulla fronte un paio di enormi occhiali di plastica trasparenti. «Ciao Rocco...».

«Ma che è 'sto caldo? Pare de sta' in una serra».

«Ho fatto montare le pompe di calore. Non male, eh? E l'estate mi fanno l'aria condizionata. Allora... vieni con me...». Lo portò al ripiano illuminato. «Come al solito sul luogo dell'omicidio c'era un bordello. Ma stavolta non è colpa vostra. La pioggia... Quindi trovare evidenze è stato camurruso assai. E sai che ti dico? Non escluderei che gli assassini abbiano contato proprio su questo».

«Non credo proprio, perché se non ci fosse stata la pioggia il fiume non avrebbe portato via la terra e quindi non avremmo scoperto il cadavere se non fra chissà quanto tempo. E poi, perché parli di assassini?».

«Perché hanno scavato con pala e piccone».

«Embè? Non può essere la stessa persona che ha usato tutti e due gli attrezzi?».

«No. Sotto al cadavere, sul fondo della buca ho trovato impronte di scarpe. Uno porta il 43 l'altro il 46» e concluse con un sorrisino.

«C'era sangue?».

«Niente sangue. Non l'hanno ucciso lì... ce l'hanno portato per nasconderlo. Hanno usato una pala con lame di ferro e un piccone di acciaio. Attrezzi d'agricoltura. Stavo esaminando la composizione del terreno e vuoi farti una risata? Vieni...» si girò e puntò al suo microscopio. «Mettici gli occhi e guarda». Rocco obbedì. «Che vedi?».

«Che ne so, Michela, vedo delle cose nere».

Michela scosse la testa sbuffando. «Cose nere... questa terra l'ho presa dal terreno in fondo alla fossa. E sai di cosa si tratta?».

«No».

«Terra piena di solfato di potassio e magnesio».

«Sta a dire che è come quella che hai trovato sulla neve accanto alla guardia anestetizzata?».

«Bravo Rocco!» e gli mollò una pacca sulla spalla.

«Non ti prendere 'ste confidenze».

«Esprimevo la mia ammirazione».

«Fanculo Michela... grande lavoro, sostituto, grande lavoro. E ora dimmi. Sotto le scarpe della vittima hai trovato lo stesso terriccio?».

Michela alzò le sopracciglia. «No, sotto le calzature del cadavere quel tipo di terriccio non c'era. Ho trovato solo...».

Rocco la fermò con la mano. «Da questo, Michela, cosa deduciamo?».

«Che Maquignaz non ha mai calpestato lo stesso terriccio che hanno calpestato i suoi assassini?».

«Ottimo. E quindi?».

Il sostituto allargò le braccia. «Non lo so...».

«Io invece sì. E questo fa di me un vicequestore della mobile e di te un sostituto della scientifica. Ti lascio che ho altre incombenze. Ora su cosa stai lavorando?».

«Ancora sui vestiti di Maquignaz...» e indicò la stanza alle sue spalle.

«Buon lavoro». Rocco aprì la porta a doppio battente e uscì. In corridoio quasi si scontrò con D'Intino che lo aspettava chissà da quanto. Sotto i neon a pioggia del soffitto di quel seminterrato il viso dell'agente era inquietante. L'ombra dell'arcata sopraccigliare oscurava gli occhi rendendoli due buchi neri. La pelle di cera, pochi capelli e la bocca semiaperta in un sorriso ebete davano alla maschera la fissità di una creatura infernale.

«Mortacci tua D'Inti', m'hai fatto prende un colpo».

«M'ha cercato, dotto'?».

«Sì, ma andiamo fuori di qui, sei inquietante...» e cominciò a risalire le scale.

«So' disdetto la richiesta della licenza...».

«Hai fatto bene. Lo vedi che siamo in un'emergenza, no?».

«Shine. Però ci tenevo. E se quella s'innamora di un altro?».

«D'Intino...».

«Mi chiami pure Mimmo».

«Mimmo, se ha aspettato tutti questi anni aspetterà qualche settimana». Uscì nel corridoio principale della questura. La luce delle finestre riconsegnò occhi e umanità al viso dell'agente abruzzese. «Allora tu ti intendi di cose di campagna».

«Freghete...».

«Secondo te, terriccio per concimare la vite, uno dove lo può tenere?».

«Dipende. Sta parlando di grandi quantità?».

«Diciamo di sì...».

«Un posto poco umido, riparato, insomma con tetto e tutto il resto. Zieme a Mozzagrogna ha una vignarella e quando è autunno lo compra a Chieti. Glielo portano col trattore. E la sa una cosa? Mica puzza...».

«Chissenefrega... allora sai cosa voglio da te? Ti vai a informare in giro, insieme a Deruta, e cercate di capire se ci sono dei magazzini di stoccaggio che riforniscono i viticoltori... Non troppo lontano da dove abbiamo trovato il cadavere di Maquignaz, quindi zona Arnad. Tutto chiaro?».

«Chiarissimo!» rispose il poliziotto. «Nu magazzino grosso... magari che non tiene solo il concime, no? Roba di agricoltura».

«Bravo».

«Carriola, semenze, pale, la zappa...».

«Esatto...».

«Li secchie, lu trattore, aratri, seminatrici...».

«Va bene D'Intino, basta così».

«Picconi, la vanga, pali, lu file spinato».

«Hai rotto il cazzo».

Mimmo D'Intino si azzittì.

«Mi raccomando agente, un posto grosso, da poterci nascondere un camion».

D'Intino annuì. Poi sorrise: «So' capite! E mo' mi do da fare, vedrà che li becchiamo a questi!» e preso da un'improvvisa frenesia scattò di corsa verso la sala degli agenti.

«Non vuoi più vedermi?» gracchiò la voce di Lada al telefono, lontana, come quella delle vecchie interurbane fatte dai telefoni pubblici.

«Non è un momento facile, Lada. Sono in mezzo a un'indagine».

«La rapina?».

«No. Lo leggerai sul giornale, credo. Ma di più non posso dirti».

«Volevo solo avvisarti che stasera sono impegnata, Guido è tornato e sta qui per un po' di giorni. Però appena sono libera ti richiamo, sempre che tu abbia voglia...».

«Ce l'ho. Ora perdonami ma sono in riunione».

«A presto» e Lada attaccò. Rocco riprese a mangiare il piatto di pasta. «Allora Italo?».

«Chi era?».

«Fatti i cazzi tuoi. Sei stato in palestra?».

L'agente seduto dall'altra parte del tavolino finì di masticare, poggiò il tovagliolo e si mise la mano in tasca. «Un momento...». Tirò fuori un foglio di carta.

«Del vino?» chiese la cameriera bionda passando accanto al loro tavolo.

«No grazie, dobbiamo lavorare... io dopo la pasta prendo una mela, lui pure».

Italo aprì la bocca per protestare ma Rocco lo zittì con un gesto della mano. «È a dieta» e la ragazza si allontanò.

«Veramente io ho fame».

«Sticazzi. Allora, sono tutt'orecchi!».

«L'uomo si chiama Paolo Chatrian, abita ad Aosta vicino al teatro... non era in palestra, ci va a giorni alterni pare. Ha 35 anni, è alto un metro e novantaquattro e da giovane praticava il triathlon».

«Ricordami un po'?».

«Corsa bici e nuoto. Sport duro...». Italo riattaccò i ravioli. «Perché lo vuoi vedere?».

«Te l'ho detto, io quella faccia l'ho già incontrata. E poi, lo guardavi mentre gli facevamo le domande su Maquignaz?».

«Sì. M'è parso normale, non ha fatto niente di eclatante».

«Vedi Italo?». Rocco si pulì le labbra col tovagliolo. «Non è che la gente abbia reazioni eclatanti. Hai mai visto qualcuno, che so?, saltare all'improvviso, o mettersi a urlare e correre per la strada o sbavare come un cane rabbioso? A proposito di cani, tieni amore...» e allungò un pezzo di pane a Lupa sotto il tavolo. «No, non lo fanno. Ma gli occhi li devi studiare, e devi studiare la bocca, i piccoli movimenti delle mani, il respiro. Dettagli, ma tutti insieme hanno un odore. E a me l'odore di quel tizio non mi ha convinto. E poi non riesco a ricordare dove, ma io l'ho già visto».

«Secondo te sa qualcosa su Maquignaz e non ce l'ha detto?».

«Per esempio. Oppure, agente Pierron, sono solo un uomo dalla fervida immaginazione. Al massimo avremo perso qualche mezz'ora, dico bene?».

«Giusto».

«Nel pomeriggio gli andiamo a fare una visita. Prima ci tocca Fumagalli».

Italo rimase con la forchetta a mezz'aria, poi senza mettersi il cibo in bocca la posò sul piatto. «Io no».

«Non ci vuoi neanche provare?».

«Senti Rocco, quel Maquignaz chissà quanto tempo è stato sotto terra... io non...» represse un rutto, si lasciò andare sulla sedia. «Mi hai fatto passare la fame».

«Vedi che il secondo non lo volevi?».

La porta a vetri del ristorante si aprì e l'agente Antonio Scipioni entrò portando una folata d'aria fredda. «Rimette brutto» disse e raggiunse i colleghi al tavolo.

«Siediti Antonio, mangi qualcosa?».

«No grazie, Rocco, mi prendo un caffè con voi» poi guardò Italo. Incerto sul da farsi passò lo sguardo su Rocco con una domanda muta.

«Tranquillo Antonio, Italo è di famiglia».

«Ma di che parlate?» chiese Pierron.

Antonio annuì. Si mise la mano dentro il giubbotto e tirò fuori una cartellina. «Allora, ho fatto gli ingrandimenti che mi hai chiesto. La faccia dell'uomo non è chiara, per niente, è quasi di schiena e non si capisce...».

Rocco osservava i fogli. Su ognuno c'era un frammento ingrandito della fotografia di Caterina che Brizio le aveva scattato fuori dal ministero degli Interni.

«Che foto è?» chiese Italo. Antonio non rispose. Lo fece Rocco. «Caterina...». Italo impallidì. «Come Caterina...?». Rocco passò una riproduzione a Italo che si mise a guardarla.

«L'ha presa un mio amico fuori dal Viminale. E io voglio capire chi è quest'uomo coi capelli bianchi che è con lei...».

Italo osservava in silenzio.

«Una cosa interessante c'è...» intervenne Antonio. «L'ultimo foglio. Da' un'occhiata a quell'ingrandimento».

Raffigurava il polso sinistro dell'uomo.

«Ha un Rolex Submariner. Una robetta da almeno ventimila euro...».

Sull'ingrandimento era perfettamente visibile il quadrante blu, l'ora segnata, le otto e trentacinque, il cinturino di pelle.

«Magari significa poco ma un'altra informazione la trovi nell'ingrandimento del terzo foglio» aggiunse Antonio.

Rocco lo prese. Lo sconosciuto teneva una sigaretta accesa fra l'indice e il medio. Il vicequestore strizzò gli occhi.

«Non ti sforzare, te lo dico io. È una Dunhill. Il tipo fa di tutto per sembrare molto elegante».

«Già» rispose Rocco. Poi rimise i fogli nella cartellina e la restituì ad Antonio. Italo guardava ancora la fotografia di Caterina. «Sembra stanca...» disse. «E allora non è ad Ascoli Piceno, come io sospettavo».

«No, non è ad Ascoli. Restituisci il foglio ad Antonio?».

Italo eseguì.

«Pochi indizi ma è già qualcosa. Dovrei farmi un giro agli Interni per capire chi è».

«Vuoi andare fino in fondo?».

«Certo» disse Rocco. «'Sto stronzo ce l'ha con me, m'ha messo Caterina addosso e voglio sapere il motivo!».

«Giusto» fece Antonio.

«Giustissimo» rinforzò Italo.

La cameriera portò un cestino di mele e arance e recuperò i piatti. «Per favore, ci porti tre caffè e il conto».

«Subito».

«Grazie per il lavoro, Antonio».

«Figurati. Comunque questa storia di Caterina io proprio non l'ho capita... se al Viminale ce l'hanno con te, com'è possibile che sei ancora a piede libero?».

«Vedi Anto', io credo che non sia il Viminale ad avercela con me, ma solo questo stronzetto con il Rolex. Il motivo mi sfugge, ma è questione di tempo. Chi viene a farsi una gita all'obitorio?».

Gli agenti abbassarono lo sguardo all'unisono.

«Andiamo dal nostro amico, ci si fa quattro chiacchiere in allegria» fece Fumagalli a pochi metri dalla porta dell'obitorio.

«Albe', non ci facciamo quattro chiacchiere in allegria» disse Rocco.

«E perché?».

«Aspettiamo una persona...». Si voltò verso l'entrata. «Eccolo».

Col passo rapido e guardandosi i piedi, Maurizio Baldi avanzava nel corridoio, l'auricolare del cellulare pendeva dall'orecchio destro, parlava ad alta voce. «Sì, lo so, ma io ho bisogno del documento entro e non oltre domattina... Silvia, ti sembra che mi stia divertendo? Sono all'obitorio!».

Fumagalli si avvicinò a Rocco. «Niente da fare» gli spiò sottovoce, «si continua a perpetuare il concetto che l'obitorio sia un posto terribile!».

«Infatti non lo capisco» gli rispose il vicequestore. «Che ce voi fa' Albe'? Prima o poi lo comprenderanno».

«È un luogo di risposte, ecco cos'è. Ci sono più risposte qui dentro che in qualsiasi altro posto della terra».

«La chiesa» disse Baldi togliendosi l'auricolare, segno che riusciva a concentrarsi su due cose contemporaneamente.

«Che intende?».

«La chiesa è un posto dove ci sono tante risposte».

«Ma non scherziamo, dottore» fece Fumagalli. «La chiesa al massimo è il posto delle domande».

«Che Dio accoglie per rispondere a chi sa ascoltare».

Il patologo scosse la testa. «Mi dispiace, io sono un positivista razionale scientifico».

«Sei San Tommaso?».

«No, dottor Baldi, Tommaso presuppone l'esistenza di un dio, io credo in quello che posso provare e analizzare».

Baldi si slacciò il giubbotto. «Allora secondo lei i fenomeni che lei studia, gli esseri viventi, la natura sulla quale concentra i suoi sforzi, chi li ha creati?».

«Il caso. È stata una serie di coincidenze che ha portato la vita su questo pianeta. Vento solare ha bombardato meteoriti polverizzati sul pianeta dando vita alla formazione di centinaia di composti organici complessi: amminoacidi, i lipidi che costituiscono la membrana cellulare, gli acidi carbossilici, senza i quali non ci sarebbe il metabolismo, l'azoto, gli zuccheri, insomma tutta roba alla base del Dna».

«E chi l'ha messa quella materia sui meteoriti?» chiese Baldi con l'aria saputella. «Dio!».

«E allora se Dio ha creato la vita come dice lei, perché solo su questo pianeta? Non poteva inventarsi anche qualcosa su Giove? Marte? Castore? Polluce?».

«Dio ha messo gli elementi, poi la vita s'è sviluppata da sé».

«Mi sarei rotto i coglioni» intervenne Rocco. «Poi vi date appuntamento al bar e seguitate la discussione. E parlando di vita, andiamo a vedere com'è finita quella di Ruggero Maquignaz?».

«Prego». Fumagalli con un gesto teatrale indicò la strada. Il gruppo a passi rapidi si diresse verso l'obitorio. «Il paziente ha tante cose da raccontarci, sapete?». Spalancò la doppia porta e introdusse Rocco e Baldi nella stanza coi lettini autoptici. L'odore era il solito misto di uova marce e disinfettante. La solita goccia lontana cadenzava il passare del tempo, una perdita che nessuno si decideva a riparare. Baldi fece una smorfia di disgusto.

«Dottore, se la sente?».

«Pensa che sia il primo cadavere che vedo? Forza Fumagalli...».

«Cominciamo subito con la causa della morte... Colpo alla testa sparato a distanza ravvicinata» e aprì lo sportello del frigorifero tirando fuori il lettino.

Scoprì il cadavere. La pelle livida, in alcuni punti pareva di cera. Il taglio a ipsilon enorme, nero di punti di sutura. Sopra l'arcata sopraccigliare destra il foro della pallottola. «Vedete? Qui intorno c'era ancora bruciatura, ecco perché dico sparato a distanza ravvicinata».

Rocco osservava il viso dell'ex guardia giurata. La bocca semiaperta mostrava appena i denti secchi e grigi. «Quando è morto? Ti prego senza darmi i dettagli tecnici su insetti, macchie ipostatiche e altre amenità».

«Giovedì» rispose Alberto sicuro. «Posso sbagliarmi un po' sull'orario ma direi verso mezzogiorno».

«Giovedì è il giorno della rapina» fece Baldi.

«Esatto. Ho mandato all'esimia collega della scientifica la divisa del Maquignaz per le evidenze, se ce ne sono. Ma una cosa è certa. Il proiettile ha attraversato il cranio da qui...» e indicò il foro sulla fronte, poi alzò la testa del cadavere. «Ecco, vedete? Il foro di uscita». Rocco e Baldi si chinarono a osservare. «Un po' più in alto rispetto a quello di entrata. La balistica saprà raccontare meglio, ma una cosa è sicura».

«L'assassino non era in una posizione più alta della vittima» concluse Rocco.

«Già. Se erano in piedi è più basso, altrimenti potevano essere seduti uno accanto all'altro».

Rocco si passò una mano sul mento. «Trovato qualcosa sulle unghie, sui polpastrelli?».

«Niente».

«Quindi escludiamo una colluttazione».

«Gli ha sparato all'improvviso e questo non ha potuto reagire» disse il magistrato.

«Una specie di esecuzione» fece il patologo.

«Albe', al calibro della pistola ci arriviamo?».

«Un po' dura ma possiamo tentare».

«Quando dici *possiamo* a chi ti riferisci?».

«A me e Michela» rispose Fumagalli sorridendo.

«Mi sbaglio o c'è della simpatia fra voi?».

«Cos'è che mi dici sempre? Che devo imparare a farmi...».

«Giusto, hai ragione Alberto...». Il vicequestore guardò Baldi. «Lei vuole sapere altro?».

«No... può richiudere». Il patologo rimise a riposo nella cella le spoglie di Ruggero Maquignaz. «Vogliamo uscire?».

«Ben volentieri» rispose Baldi.

Ripercorsero il corridoio. Fumagalli si fermò a parlare con un infermiere. Baldi e Rocco proseguirono fino alla porta a vetri. Si affacciarono a guardare il giardino. Aveva cominciato a fioccare. «Non ci posso credere! Giorni di pioggia e ora questo?» disse il magistrato.

«Ancora devo decidere se è meglio la neve o l'acqua».

«Fanno schifo tutt'e due» fece il magistrato. «Una lite nella banda?».

«Ci credo poco. Ho i miei motivi».

«Dunque?».

«Dunque devo mettere insieme ancora due dettagli e comincio a vederci chiaro».

Baldi lo guardò ammirato. «Mi sta dicendo che in questo casino lei comincia a vedere la luce?».

Per tutta risposta Rocco tirò fuori il portafogli.
«Cos'è, un tentativo di corruzione?».
«Guardi qui» e prese un foglietto. «Mi rigira per la testa dall'omicidio di Favre. Le vede queste tre lettere? A, B e C».
«Certo, il famoso appunto».
«Non sono riuscito a dargli una paternità. Meglio, pensavo che la A fosse Arturo Michelini, l'assassino di Favre. Ma la cosa non mi convinceva, e sa perché? Se la vittima avesse sospettato il vicino, si sarebbe mossa in un altro modo, insomma credo che avrebbe accelerato i tempi».
«Rispetto a cosa?».
«Giri il foglietto. Lo vede? È carta chimica, è un pezzo di scontrino. La carta è violacea, segno che si sta ossidando e che è piuttosto vecchio, almeno tre settimane. L'appunto secondo me l'ha preso molto tempo prima della sua morte. E se avesse scoperto la connivenza del suo vicino, non so, come minimo gli avrebbe tolto le chiavi di casa o avrebbe cambiato la serratura».
«Diciamo che è possibile».
«Allora la A potrebbe non essere Arturo Michelini».
«Bensì?».
«Assovalue...» disse Rocco.
«Lei è sempre convinto che la rapina...».
«È legata all'omicidio. Ora passiamo alla B e alla C. Né Maquignaz né Enrico Manetti hanno questa lettera nelle iniziali. Potrebbero essere due nomi legati all'organizzazione».

«Lei s'è fatto un'idea?». Girò lo scontrino e si mise a leggere l'altra scritta. «E qui dietro che cosa c'è?».

«Secondo Oriana Berardi, una dirigente del casinò che l'ha letta qualche giorno fa, pare sia il nome di una banca di Lubiana... Ljubljanska Bank... una cosa simile».

Baldi continuava a scrutare quella scritta. Inforcò gli occhiali e strinse gli occhi. «Secondo me non c'è scritto così».

«Ah no?». Rocco sporse il collo per leggere anche lui.

«No... questa non è una kappa finale, e queste sono due parole, non Ljubljanska Bank, guardi, dopo Ljuba non c'è neanche la enne... ma secondo me è...» si avvicinò il foglietto. «Secondo me è un nome. Ljuba... Sokoban, Sokaban, Sakoban, una cosa così. Guardi anche lei» e gli passò l'appunto. Rocco sforzò la vista tanto che il magistrato si sentì in dovere di prestargli gli occhiali. «Ma lo sa che forse ha ragione... Ljuba Sokaban?». Baldi recuperò scontrino e occhiali. «No, questa non è una "a", la prima "a" è una "o". Sokoban, io dico che qui c'è scritto Ljuba Sokoban, altro che Ljubljanska Bank» e finalmente restituì lo scontrino con l'appunto a Rocco.

«E se fosse, chi è?».

«E che ne so?».

«Avrà a che fare con il casinò?».

«Non lo so Schiavone, ma sempre dobbiamo finire al casinò?».

«È lì la matrice di tutto 'sto bordello. Si ricorda che la vittima teneva in mano quel portafortuna?».

«Certo, la fiche di Sanremo».

«E pensavamo ci avesse depistato... Invece no. Il suggerimento è sempre valido. Solo non c'entrava niente la storia del riciclaggio del denaro».

«Quale pezzo le manca?».

«Gli assassini di Romano Favre e gli organizzatori della rapina sono legati! Ma come le ho promesso ci andrò cauto. Ora però ho bisogno della sua autorevolezza. È una questione piuttosto complessa, ma lei è l'unico che può vederci chiaro».

«Quando mi lusinga comincio a preoccuparmi».

Rocco rimise l'appunto di Favre nel portafogli per tirare fuori una carta di credito. La consegnò al magistrato.

«Che cos'è?».

«È una carta di credito prepagata della Walliser Kantonalbank. Ovviamente non so di quale agenzia».

«E di chi è?».

«Trovata a casa di Arturo Michelini. Lo stipendio gli veniva accreditato sul conto della San Paolo di Saint-Vincent».

«Kantonalbank...».

«Ha un sacco di agenzie in Svizzera e sarà difficile rintracciarla».

«Ma neanche un po'... vediamo, vuole sapere a quale conto è legata e immagino anche a chi appartiene questo conto?».

Schiavone annuì.

«Non è una cosa semplice, ci vorrà del tempo».

«La ringrazio per i suoi sforzi».

Baldi annuì, poi mollò una pacca sulla spalla di

Schiavone e aprì la porta. Guardò la neve. «A proposito di sforzi, lo sa che sto andando avanti con la storia di Enzo Baiocchi? E del cadavere del fratello? Non è semplice, ma conto al più presto di darle qualche notizia».

«E io l'attendo con profondo interesse, dottore. Non se ne abbia a male se scoprirà di aver fatto un ennesimo buco nell'acqua».

Baldi lo guardò serio. «Dice?».

«Dico. E se vuole un consiglio il corpo del fratello di Baiocchi lo deve cercare in qualche posto in Sud America. Suggerirei l'Honduras. Ha provato a contattare qualche suo collega di lì?».

«Io in Honduras non andrei neanche a fare una vacanza».

«Fa male, pare sia un paese bellissimo».

«No Schiavone, ho giurato a me stesso che non andrò in nessun posto che comporti più di quattro ore di volo. Buona giornata». Il magistrato aprì la porta e uscì. Fumagalli raggiunse il vicequestore. Insieme si misero a guardare il servitore dello Stato perdersi fra le auto in sosta bombardato dai fiocchi di neve.

«Simpatico come un petardo nel culo» commentò il patologo.

«È un brav'uomo. Ci crede».

«Cos'è 'sta storia del fratello di Baiocchi? Non era quel figlio di troia che ha sparato alla tua amica?».

«Sì, Enzo. Il fratello si chiamava Luigi. Baldi è convinto sia sepolto sotto un villino in un ridente quartiere di Roma».

«E a te che te ne frega?».
«Infatti».

Attraversava il centro storico sotto la neve che aveva aumentato l'intensità. Non attaccava ancora, il terreno bagnato lo impediva, ma la temperatura era scesa, questione di poco e Aosta si sarebbe nuovamente imbiancata. Le vetrine erano addobbate con palline colorate, ghirlande, scritte di auguri per il felice prossimo Natale. E l'avvicinarsi delle festività natalizie coincide con l'aumento esponenziale della depressione nella maggior parte della popolazione sopra i 23 anni. Incidenza poco riscontrabile in Rocco Schiavone che teneva alto il suo livello depressivo durante tutto l'anno. Quelle vetrine non lo invitavano al sorriso e sicuramente il paio di Clarks ormai da buttare non produceva pensieri positivi e una qualche serenità interiore. Le parole del magistrato gli martellavano il cranio. Doveva sentire Brizio anche se, ci fossero state novità, si sarebbe fatto vivo. Un uomo in bicicletta passò con la faccia avvolta in una sciarpa. Si riparò sotto un portone e prese il cellulare. Non s'era accorto che gli era appena arrivato un messaggio proprio dal suo vecchio amico. «Chiamami subito a questo numero e fattene uno nuovo anche tu» gli ordinava. Stava cedendo troppo alla paranoia oppure Brizio ci vedeva giusto? Si guardò intorno, non c'erano negozi di cellulari. Decise di tirare dritto verso il bar centrale, la soluzione era lì.

«Ettore, prestami il telefono, devo fare una chiamata».

Il barman gli allungò il cellulare senza chiedere, poi si girò per servire due signore, le uniche clienti.

«Brizio?».

«È il tuo nuovo numero?».

«No, me l'hanno prestato».

«Succede un casino...».

Un pugno di ansia si stoppò nella gola del vicequestore.

«Quel rincoglionito del bulgaro s'è distratto. Alla casa so' arrivati i mezzi. Cominciano lo scavo».

«Cazzo...» sibilò Rocco fra i denti.

«I padroni di casa so' incazzati neri, ma dice che ripagano i danni».

«A Brizio, che cazzo me ne frega che je ripagano i danni? Porca puttana...».

«Che fai?».

«E non lo so, amico mio, proprio non lo so. Quanti giorni ci metteranno?».

«Boh... cemento armato... un paio?».

«Allora tempo non ne ho...».

«Ma per fare che?».

«Stammi a sentire. Vengo a Roma. Prenota un notaio per lunedì e ti intesto la casa. Libero il conto e te saluto».

«Me saluti? Per andare dove?».

«Belize? Capo Verde? Che ne so? Per risalire alla pallottola ci mettono 48 ore al massimo. E io devo stare già bello e lontano».

«Non precipitiamo le cose, Rocco...».

«Sono già precipitate!» ringhiò, il collo rosso e la vena gonfia. «Se resto qui è la fine. Organizzo tutto, tu fatti trovare pronto».

«Ricevuto. Vado a preparare le carte. La casa è meglio se la intestiamo a Stella, poi ti spiego».

«Fa' come te pare... mi rifaccio vivo io». Chiuse la telefonata. Il cuore accelerato, salivazione azzerata. Sentiva un suono acuto nelle orecchie, probabilmente la pressione, o forse era solo un attacco di panico. «Ettore...» restituì il telefonino al barman. «Grazie».

«Che ha, dottore? È pallido».

«Niente, Ettore, niente...».

Uscito dal bar camminava seguendo come un automa la strada per la questura. Non pensava alla neve, al freddo e alle scarpe ormai fradicie. Ogni tanto si fermava coi suoi pensieri a un angolo di strada oppure davanti a una vetrina senza guardarla.

Che faccio?, pensava. Restare lì a lasciarsi mettere le manette ai polsi non era una scelta. Scappare, sì, ci aveva pensato tante volte, paesi lontani che non sapevano di niente come pietanze senza sale. Se l'era immaginata la fuga dall'Italia, ma insieme a Marina, verso la Provenza, dove le strade sono pulite e i pensieri si addormentano nel blu della Costa Azzurra. Questa non era una fuga, era una ritirata. Scappare non è difficile, ritirarsi sì. Una ritirata non ha colore, è solo grigio senza fine, una strada d'asfalto vuota che non porta in nessun luogo. È una sconfitta senza possibilità di ritorno. Ma doveva organizzarsi, e subito. Chiamare Daniele, il suo amico alla banca, trasferire il resto del denaro a Vaduz, scegliere un volo e sparire senza salutare nessuno. E Lupa? L'avrebbe lasciata a Furio, poi con calma se la sarebbe fatta portare. Dove? In qualsiasi posto non prevedesse l'estradizione. Ma anche una ritirata ha bisogno di energie, fossero anche quelle della disperazione, e Rocco energie non ne aveva. L'unica forza gli veniva dal pensiero che avrebbe abbandonato un posto in cui non aveva più niente da tenere caro. Gli amici? Anche quelli si stavano scolorendo come legna lasciata al sole. Gli parlavano a stento, quasi non lo guardavano negli occhi. Roma? Non era più la sua città, era diventata l'ombra deforme di un corpo senza proporzioni. Marina? Se la portava dentro e l'avrebbe seguito ovunque. Doveva accettare che le sue giornate in capo al mondo si sarebbero riempite solo di ricordi. Li avrebbe cercati rigirandosi in quella melma inafferrabile delle cose perdute. Passare il tempo a guardare fotografie, visi di persone che non ci sono più e che non avrebbe più rivisto. Filmati con pezzi di vita in cui piano piano non si sarebbe più riconosciuto. Rocco sapeva quanto fosse crudele svegliare la memoria, rivivere questi pezzi inesistenti di vita che portano solo tonnellate di malinconia. Quello che è passato, come quello che deve avvenire, non esiste o non esiste più, pensava. Ma ha lasciato tracce materiali e visibili, tangibili come le foto, spesso in bianco e nero, che non hanno profumi né voci.

Rientrò in questura con i capelli fradici e il loden inzaccherato d'acqua e di neve. Salutò appena l'agente in portineria e salì le scale. Lupa gli corse incontro. Rocco si sedette sul divano e la prese in grembo. Era calda e odorava di pizza. «Amore, tu vieni con me, che credi?» le disse e quella cercò di leccarlo proprio in faccia.

È lì che mi guarda in silenzio, mi guarda e non parla. Sta nel vetro della finestra.

«Non mi parli?». Le scarpe sono diventate nere, ho le mani screpolate e al posto dei capelli mi sento dei fili di ferro piantati in testa, uno per uno, li potrei contare. Bisogna che glielo dica, lo vuole sapere. «Davvero vuoi sentire la storia, Marina? Non la conosci già?». Non la conosce, come fa a conoscerla? Lei non c'era. «È successo a luglio, tanti anni fa, te n'eri andata e io stavo ancora lì ma era come se non ci fossi. Era notte, era estate, l'ho cercato e l'ho trovato». Ho la gola secca e mi manca la saliva. «L'hai capito, no? No?». L'ha capito Marina, ma vuole che vada fino in fondo. Pesa una tonnellata. Prendo il respiro. «L'ho ucciso io, Mari'». Alzo lo sguardo. Ha gli occhi vuoti, sperduti, di chi prova paura e disprezzo. «Se solo Sebastiano quella notte non fosse arrivato, se mi avesse lasciato premere il grilletto una seconda volta tutto questo io non lo avrei mai visto. Mi ha salvato, dice lui, ma per che cosa? Cosa ho vissuto questi sei anni che ne valesse veramente la pena? Essere ciechi sordi e muti, aspettare che qualcuno accenda la luce. Difficile se nemmeno hai avvitato la lampadina. Ora sai tutto, questo ho fatto, questo sono io, questo è diventato tuo marito. Non dici niente? Non l'avevi capito? Che altro vuoi sapere? Come si vive?». Mi viene da ridere. «Io il coraggio di mettere il punto l'avevo trovato quella not-

te, subito dopo Luigi Baiocchi ero pronto a sparare anche a me. Ora non ce l'ho più quella forza, ho perso l'occasione per chiudere la partita. Forse un giorno si ripresenterà, ma dovrò afferrarla al volo. Non lo so. Dovrei essere lì da te a quest'ora, non seduto su questo divano in questa città del cazzo». Tiene gli occhi bassi. Ora sa la verità, anzi no, l'ha sempre saputa, solo voleva sentirla da me. «E te l'ho detta». Basterebbe una parola, una sola, anche un rumore, invece non dice niente. Poi chiude gli occhi e se ne va. E io resto qui a guardare la neve che cade e le nuvole che coprono le montagne.

Rocco si alzò dal divano per chiamare Roma e dare inizio alla preparazione per la fuga. Per prima cosa prese uno spinello, aprì uno spiraglio di finestra e l'accese. Due tiri, poi alzò il telefono.

Italo Pierron aveva cercato di rintracciare Paolo Chatrian a casa, poi di nuovo in palestra dove Daniele, il proprietario, gli disse che non lo vedeva da giovedì, «... quando lei è venuto col suo capo». Gli aveva mostrato la fotocopia del documento. Era andato a via Festaz, domicilio riportato dalla carta d'identità, e aveva citofonato senza successo. Poi s'era messo a nevicare e aveva deciso di fare un salto all'American bar. Entrò scuotendo la neve dal giubbotto e prese un bianchetto. «Mino...» disse al proprietario inchiodato come sempre dietro il bancone. Nessuno ad Aosta aveva mai visto Mino in giro e tutti pensavano facesse ormai parte dell'arredo del locale, «... è libero il bagno?».

«Sì» rispose quello asciugando i bicchieri. «Grossa o piccola?».

«Grossa».

Mino mise la mano sotto il bancone, prese una chiave e la allungò a Italo. «A te».

L'agente scolò il vino, posò il bicchiere insieme a una moneta da due euro ed entrò nella toilette. Usò la chiave per aprire una seconda porta accanto al lavandino. Si ritrovò in un piccolo corridoio buio. Riuscì a centrare la serratura e si richiuse la porta alle spalle, poi si incamminò in mezzo a scatole di cartone. Finalmente entrò nella sala del retro. C'erano tre tavoli occupati. Il fumo delle sigarette appestava l'ambiente mischiando la puzza di tabacco vecchio a vino scadente e straccio per i pavimenti. Una sola finestra in alto coi vetri smerigliati non riusciva a portare dentro quel poco di luce che la strada poteva regalare. Su ogni tavolo una lampada bassa. Solo due tizi alzarono la testa per guardare il nuovo entrato, poi si riconcentrarono sulle carte. «Salve!» fece Italo al tavolo in fondo alla sala, vicino a una scansia piena di vecchie bottiglie di vino senza etichetta. «Posso?».

Erano seduti in tre. Al centro un piatto di fiches. Un uomo magro come un asparago mischiava le carte. «Italo, qui solo a Teresina, carte scoperte» gli disse.

«Per me va bene, per voi?».

Gli altri due giocatori annuirono e Italo prese posto al tavolo. «Abbiamo fissato il limite a 500» fece il magrolino.

«Per me va bene, Gianluca» e si tolse la giacca.

«Non è che non ci fidiamo...» disse il giocatore dall'altra parte del tavolo, piuttosto in carne con due baffi a manubrio, «però...».

Italo annuì, si mise la mano in tasca e tirò fuori il portafogli. Contò le banconote e le mise sul tavolo. L'asparago le prese e le infilò nella bottiglia vuota alle sue spalle insieme agli altri soldi. «E il salvadanaio è pieno. Cambiagli le monete Leo...».

Il baffuto si chinò e sollevò una cassetta di legno. La posò sul tavolo, l'aprì e prese le fiches, poi ripose la scatola a terra. Italo incolonnò i soldi di plastica, si fregò le mani e guardò gli avversari. «Pronto!» disse. Gianluca cominciò a distribuire le carte. In quel momento suonò il cellulare di Italo. «Lo devi spegnere» intimò Guido.

«Solo un attimo... Rocco?».

«Non fare domande. Sono in viaggio. Coprimi col questore e proseguite il lavoro...».

«Che succede?».

«T'ho appena detto di non fare domande. Ora te raccogli tutto quello che ti diranno gli altri».

«E se mi chiedono?».

«Sto seguendo una pista in Slovenia. Di' così».

«In Slovenia?».

«Sei sordo? Dove sei?».

«Da amici».

«Tu non hai amici, Italo. Vabbè, tutto chiaro?».

«Quando torni?».

«Non so manco se torno» e abbassò il telefono.

«Allora vogliamo cominciare oppure no?».

Italo pallido in viso prese le due carte. Le aprì ma non riusciva a catalogare nella mente colori e segni. La telefonata lo aveva sconvolto, Rocco non aveva mai avuto una voce simile.

Ugo Casella stanco per la giornata e ricoperto di neve arrivò al portone di casa. Indovinò la chiave al terzo tentativo, poi aprì. Per poco non andò a scontrarsi con Eugenia Artaz che stava scendendo con il secchio della raccolta differenziata. Si guardarono. Ugo abbagliato, Eugenia invece aspettava che quello si scansasse per poter uscire in strada. «Buonasera» disse Ugo Casella con un filo di voce.

«A lei. Posso?» e indicò il portone.

«Ah sì, certo certo. Prego» il poliziotto si levò di mezzo e la fece passare. La donna uscì in strada coprendosi la testa con un cappuccio e lui restò lì in attesa. «Le tengo la porta aperta!» le disse. Ma quella, affrettandosi verso i contenitori, neanche si voltò. «Non si preoccupi. Ho le chiavi!».

E adesso?, pensò. Se l'aspetto faccio la figura del fesso, se le chiudo la porta faccio la figura del cafone. Preso in mezzo al dubbio non vide che la molla della pesante anta di legno del portone era scattata chiudendolo.

«Porca...» disse. Il caso aveva deciso per lui. Non gli restava che salire le scale e andare nel suo appartamento. Ma non era un comportamento da gentiluomini. Insomma, a una signora a quell'ora di notte si lascia il portone aperto, magari accostato, e si sale su in casa senza aspettarla, dal momento che lei stessa aveva declinato l'offerta. Premette il pulsante dell'apertura ma non successe niente. Come se non passasse più la corrente. Tirò un paio di volte il portone di legno scuro ma quello non cedeva. Si mise le mani in tasca, prese le chiavi e le infilò nella serratura. Fece tre tentativi prima di azzeccare quella giusta. Al quarto ci indovinò, girò con una forza spropositata e la chiave si ruppe.

«Oh porca...» disse. Si abbassò per guardare il pezzo di metallo che riluceva all'interno dell'ingranaggio. E come se non bastasse Eugenia stava armeggiando dall'esterno per aprire il portone.

«Signora? Signora!» gridò Casella, la sua voce rimbombò nell'androne delle scale.

«Che c'è? Che succede?» fece la donna dall'altra parte.

«Mi si è rotta la chiave dentro...» e l'agente poggiò l'orecchio sul legno per ascoltare.

«Come le si è rotta?».

«Si è spezzata».

«Prema il pulsante elettrico!» suggerì Eugenia Artaz, e a Casella parve di notare una lieve nota di nervosismo.

«Ci provo ma non funziona. Aspetti...» riprovò a premere il pulsante. Muto. Non accadde nulla. «Niente. Non succede niente!».

«Ma perché ha messo la chiave se era già rientrato?».

La domanda lo colse totalmente impreparato. Non sapeva cosa rispondere. Preferì cambiare completamente argomento. «Citofoni a casa, così le aprono».

«Non c'è nessuno a casa» rispose scocciata Eugenia.

«Non ci sono i suoi figli?».

«No».
Casella si morse le labbra. S'era scoperto. La vicina avrebbe potuto chiedergli: e lei cosa ne sa che ho dei figli?
«Chiami qualcuno lei!» urlò la donna dei suoi sogni.
«No signora Artaz, io vivo solo».
Ci fu un silenzio.
«Signora? Signora?».
«Cosa chiama, sono qui! Riprovi ad aprire!», poi mormorò, ma Casella con l'orecchio ancora poggiato sull'anta, sentì benissimo: «Ma guarda te che mi doveva capitare...».
L'agente insisteva col pulsante, ma niente da fare. Il portone, monolitico, se ne stava lì, impenetrabile come una pietra tombale.
«Insomma, mica posso passare la notte qui fuori. Sono uscita con una maglietta e il K-way e qui nevica! Comincio a sentire freddo. Faccia qualcosa, Dio mio!» gridò scocciata la Artaz.
«Ecco, sì...» ma non sapeva cosa fare. Non restava che svegliare un vicino e farsi aprire col citofono. Poi la soluzione gli illuminò la mente: «Senta che faccio. Vado nel mio appartamento, le apro dal citofono così può rientrare in casa».
«Bravo» tagliò corto Eugenia.
Casella salì rapido le due rampe di scale. Con molta cautela infilò la chiave ed entrò in casa. Si precipitò al citofono. Alzò la cornetta. «Signora, mi sente?».
«La sento, sì. Per favore, apra-il-portone!».
«Vado!» premette il pulsante e quello si aprì. Era fatta! Eugenia poteva rientrare in casa. Sentiva i passi leg-

geri della donna risalire le scale. Si mise sull'uscio ad aspettarla. Vide arrivare prima la chioma bionda, poi il viso con un paio di occhiali rossi, la maglietta con su scritto «Scuola sci Champoluc» sotto alla leggera giacca a vento ancora puntellata di fiocchi di neve. Eugenia raggiunse il pianerottolo.

«Mi scusi...» mormorò Casella. Lei lo guardò accigliata, passò davanti al poliziotto e smozzicando un «buonanotte...» continuò a salire. Casella tornò dentro. Si appoggiò alla parete. Era fatta! Il ghiaccio era rotto. Ora aveva un argomento di conversazione con Eugenia. Ma non riusciva a gioire di quell'approccio. Com'era andata? La sensazione era quella di aver fatto una pessima figura, rivide tutta la scena e arrossì per la vergogna. «Coglione...» mormorò fra i denti. Guardò il suo appartamento spoglio, le pareti che avevano bisogno di un'imbiancata, il televisore col tubo catodico e impolverato. La sedia della cucina davanti al tavolo sola, senza le compagne, come se avesse sempre saputo che a quel tavolo a parte lui non ci avrebbe mangiato nessun altro; gli parve che lo stesse guardando. Ugo non ci aveva mai fatto caso, era la prima volta che la vedeva per quello che era: una sedia brutta, spagliata e vecchia, scrostata e buona per il cassonetto.

La neve cadeva sempre più copiosa e a quell'ora di notte le strade erano deserte. Antonio Scipioni, riparato sotto gli archi di piazza Chanoux, aveva seguito l'avvocato fino a casa sua. Ma quello era rimasto qualche minuto per poi tornare di nuovo in ufficio. La luce al secondo piano era accesa e il viso del poliziotto nascosto nell'ombra era illuminato solo dalla brace della sigaretta. Guardò l'ora. L'una di notte. Il selciato era glassato come una torta e il freddo penetrava sotto il giubbotto e il maglione. Non poteva mollare ora il pedinamento, nessun avvocato lavora all'una di notte, soprattutto di sabato, anzi, pensò, oramai domenica. Si esce semmai, si va a una festa, si sta in bella compagnia, non in ufficio. Gli prese un'improvvisa nostalgia dei suoi amici. Chissà cosa stavano facendo. Aldo forse si aggirava sul lungomare alla ricerca di qualche bar ancora aperto, Paolo sicuramente era riuscito a riempire il letto con qualche tizia abbordata chissà dove ed Enrico a casa a guardare le serie americane sul computer. Gli mancava Senigallia, il respiro del mare, gli aperitivi che sanno di salsedine e patatine. Giovanna, Lucrezia, Serena. Dov'erano? Non a piazza Chanoux, all'una di notte sotto un portico deserto di una città immersa nelle Alpi a prendere schiaffi dal vento gelido.

Vita di merda, pensò.

Prima o poi una decisione doveva prenderla. Prima o poi Giovanna Lucrezia e Serena se ne sarebbero accorte. È già difficile vivere un rapporto con una donna, con tre è una missione suicida, ma finché gli toccava Aosta le cose potevano restare così. La settimana prossima sarebbe salita Serena. O era Lucrezia? Non se lo ricordava. Doveva ricontrollare i messaggi sul telefonino, non sia mai avesse dato l'appuntamento a tutt'e due la frittata era fatta. Dall'altra parte della piazza l'auto di un metronotte passò lasciando le orme sull'asfalto. Fece il giro e si fermò davanti al negozio di abbigliamento. La guardia sgattaiolò fuori dall'abitacolo, guardò attraverso le vetrine, lasciò un foglietto incastrato nella serranda e rimontò.

Bel controllo, pensò Antonio. Anche ci fossero i ladri a cosa sarebbe servito quel passaggio? Magari è solo un racket. Il negoziante paga il controllo che è d'accordo con i ladri di zona e quel negozio diventa intoccabile. Gettò la sigaretta scuotendo il capo. Sospetti da deformazione professionale. Poi l'auto gli passò davanti a pochi metri. Rallentò. La guardia giurata lo scrutò attraverso il finestrino. Antonio alzò il medio della mano destra e quello accelerò sparendo alla vista. Era evidente non volesse guai per poche centinaia di euro al mese. Come lui, solo che scappare Antonio non poteva. Era un poliziotto, mica una guardia giurata. Quello fra poco avrebbe finito il giro, sarebbe tornato a casa, sotto le coperte, per dormire fino a mezzogiorno. Lui finché quell'avvocato piccolo e magro non avesse deciso di rincasare il letto se lo poteva scordare, e il mattino dopo altro che a mezzogiorno, alle otto e mezza in questura a beccare cazziatoni da Rocco. Il cellulare vibrò. «Chi è?».

«Italo... Dove sei?».

«In piazza...».

«C'è un fatto strano. Rocco è partito non si sa per dove, non me l'ha detto. Che succede?».

«Italo, che ne so? Che vuol dire è partito?».

«Te l'ho detto, non capisco. Domattina in questura

dammi una mano col capo. La versione è: Schiavone è in Slovenia».

«Io a questo non lo reggo più, cazzo, è fuori di testa» poi un'auto bianca si avvicinò al civico dello studio di Greco. «Ti devo lasciare Italo... si muove qualcosa...» e chiuse la telefonata. L'auto era una piccola BMW. Teneva i fari accesi e i tergicristalli in funzione. L'abitacolo era buio, non distingueva l'autista. Antonio alzò lo sguardo e si accorse che le luci al secondo piano s'erano spente. Poco dopo il piccolo avvocato abbottonandosi il cappotto uscì dal portone. Aprì la portiera e l'interno si illuminò. Al volante c'era una donna, ma da quella posizione il poliziotto riusciva a vederle solo la nuca. Baciò sulle guance l'avvocato, si spense la luce di cortesia, poi l'auto partì. Antonio prese la targa. Seguirla era fuori discussione. Decise di tornarsene a casa.

Domenica

L'alba era spuntata da poco e un chiarore tenue illuminava un cielo carico di nuvole. L'auto del vicequestore si fermò in mezzo alla strada, a luci spente. «La casa è questa» disse Rocco. Un villino che anni prima era uno scheletro in costruzione, il nascondiglio di Luigi Baiocchi. Brizio osservava il muretto di recinzione, Furio seduto sul sedile posteriore con una mano rollava una sigaretta con l'altra cercava di impedire a Lupa di ficcare il muso nel tabacco. Più in là, sulla destra, una volta un sentiero sterrato, ora c'era una via asfaltata dal nome altisonante, via Daimaco il Giovane, sulla quale si affacciavano bassi villini a schiera disegnati da un geometra che sognava Miami e le spiagge oceaniche, sebbene il mare dal quartiere Infernetto fosse distante chilometri e la Florida ancora di più. In fondo alla via al posto della vecchia fabbrica dove terminò l'inseguimento fra Rocco e Luigi, era sorto un piccolo centro commerciale pieno di scritte e di cristalli. In poco più di sei anni il panorama di quell'angolo di quartiere era stravolto e solo i ricordi lo potevano tenere in vita. Ricordi che Rocco cercava di evitare da quando avevano imboccato la Cristoforo Colombo, la grande arteria che collega Roma con il lido di Ostia. Il cielo era grigio e tirava un vento che agitava i pini e le palme nane. L'erba rinsecchita delle aiuole era cosparsa di buste di plastica e cacche di cani. Parcheggiati sui marciapiedi SUV e utilitarie di lusso. «Vogliamo da' un'occhiata?» chiese Brizio.

«No...» disse Rocco. «Che ha saputo il bulgaro?».

«Che hanno cominciato a scavare».

«Di domenica?» chiese Rocco.

«La vedo brutta» commentò Furio accendendosi la sigaretta. «Tu che hai deciso?».

«Domani io e te, Brizio, andiamo dal notaio. Poi parto. Furio, mi devi tenere Lupa fino a quando non ti dico dove sto. Lo puoi fare?».

«Certo che lo posso fare. E dopo?».

«Dopo mi raggiungi col cane».

«Europa?» chiese Brizio con un nodo alla gola.

«No...» rispose Rocco. Le mani gli tremavano, le strinse intorno al volante dell'auto. «No, niente Europa».

«Oh, se devi sceglie vattene ai Caraibi. M'hanno detto Aruba. È un paradiso».

«Pure Saint-Martin e Martinica però mica sono male» fece Brizio. «So' posti francesi, basta la carta d'identità».

«Ma se so' posti francesi non è che niente niente c'è l'estradizione?».

«Boh, che ne so Furio. La cugina di Stella c'è andata, dice che è un paradiso».

«Senti a me, Rocco, non rischiare. Se punti l'America allora Costa Rica, lì nessuno rompe il cazzo».

«Costa Rica pure può essere bello» insistette Brizio. «Fra l'altro lo sai che non c'è l'esercito?».

«E allora?» e Furio buttò la sigaretta fuori dall'auto.
«Vuol dire che so' pacifici, no?».
«Po' esse. Io insisto con Aruba».
«Ad Aruba c'è l'estradizione» intervenne Rocco. «Fa parte dei Paesi Bassi».
«Ah sì?» chiese Furio.
«Eh già...».
«Giamaica» fece Rocco. «Non c'è firma tra i paesi».
«Mica male» approvò Brizio.
«Però per la Giamaica non c'è il volo diretto, devi fare uno scalo» protestò Furio.
«E me farò uno scalo...».
Si azzittirono col groppo alla gola.
«Mi sembra un incubo» mormorò Furio. «Insomma, che doveva fini' così io proprio non ci pensavo...».
«Guarda il lato positivo». Brizio aprì un filo di finestrino. «Almeno ha tempo per prepararsi, no?».
«E non ci vedremo più» concluse Furio.
«E chi l'ha detto?».
«A Brizio, Rocco sta ad Aosta che so' sei ore di macchina e già sembra un'eternità, pensa se va in Giamaica!».
Si azzittirono di nuovo.
«È un incubo. Possibile che non ci viene manco un'idea?».
«Tipo?».
«Ma quale idea!» intervenne Rocco. «Che facciamo entriamo vestiti da muratori e scaviamo noi? No, non c'è un cazzo da fare. La cosa che non capisco è come è possibile che Enzo Baiocchi sapeva dove si trova il fratello e se l'è tenuto tutto questo tempo».

«Ha provato a vendicarsi, non ce l'ha fatta, ha capito che le mani addosso non te le può mette e ha deciso di cantare. È chiaro».

«Brizio ha ragione» si unì Furio. «Ormai che ha da perdere? È un pentito, no? Ai pentiti ponti d'oro. Solo che non può fini' così!».

«Non deve fini' così» rinforzò il concetto Brizio.

Come si doveva comportare? Doveva dare un seguito al mazzo di fiori? Quanto gli sarebbe tornato utile poter parlare con un amico. Ma chi? D'Intino? Come scambiare due parole con un olmo. Deruta? Ci avrebbe impiegato mezz'ora solo per capire la situazione. Non restava che chiamare suo cugino a San Severo, Nicola Di Scioscio, che in paese tutti conoscevano come «O saccio», lo so. Il motivo del soprannome era ovvio. Non c'era branca del sapere umano, dagli oscillatori quantici alla formazione del Perugia calcio, di cui Nicola Di Scioscio non fosse a conoscenza. L'agorà dove Nicola dava il meglio di sé era il bar a piazza della Repubblica. Al solito tavolino con i sei amici ultraquarantenni mai sfiorati dal lavoro, che si sa è meschino e traditore, davanti a un caffè o a un gingerino quel cenacolo di sapienti e filosofi disquisiva dello scibile umano. Si andava da argomenti leggeri, come una partita di calcio o se la figlia del sindaco fosse incinta, a quelli più alti, dove occorreva una certa capacità speculativa. «Ma se un albero cade nel deserto, fa rumore?», «Ma se il prezzo del petrolio è in dollari e il dollaro cala, perché non cala anche la benzina?». Nicola sapeva tutto. Era solito commentare le conclusioni con un'alzata di spalle accompagnata dalla sua espressione preferita, «O saccio», che si trascinava fin dai tempi del liceo. «Allora Di Scioscio, parlami della campagna di Russia di Napoleone». «O saccio» rispondeva dal banco alzando le spalle senza aggiungere altro. Pagò l'atteggiamento con ben due bocciature, ma quel vizio non se lo tolse. «Nicoli', lo sai che domani viene a piovere?», «O saccio», «Nicola, hai visto che alla fine Albano ha vinto Sanremo?», «O saccio», «Nicola, lo sai che l'iperbole è il luogo geometrico dei punti per i quali è costante la differenza delle distanze fra due punti fissi detti fuochi?», «O saccio...». Insomma Nicola Di Scioscio sapeva. Così Casella prese il cellulare e lo chiamò. Una voce di vecchia gracchiò al telefono: «Pronto?».

«Zi', so' Ugo».

«Ugo bello e come stai?».

«Bene zi', senti sto al cellulare, mi passi a Nicolino?».

«Ah, stai al cellulare? Non stai ad Aosta?». Zia Wanda aveva frainteso.

«No, sto sempre ad Aosta, ma sto parlando da un telefono cellulare».

«Embè?».

«Embè mi costa un sacco. Per favore chiamami a Nicolino...» mentì, aveva la tariffa fissa ma non poteva reggere la conversazione con sua zia.

«Aspe', rimani in linea eh?» sentì la cornetta schiantarsi su un mobile, i passi strascicati di zia Wanda, infine il richiamo arcaico che rimbombò nell'appartamento: «Nicoli'? Nicolino! Al telefono! Vedi che ci sta tuo cugino! Corri che sta ad Aosta!». Passò un minuto abbondante, poi la voce di Nicola Di Scioscio risuonò nel telefono. «Uè Ugo caro, come vai?».

«Ciao Nicoli', benone. Hai cinque minuti, mi serve un consiglio...».

«Per mio cugino tengo tutto il tempo che serve. Dimmi pure». Nicolino non aveva un cazzo da fare a parte una volta al mese andare a ritirare la pensione di sua madre che senza sarebbero morti di fame.

«Mo' ti spiego. Allora, ci sta una donna, una bella donna...».

«O saccio» mormorò Nicolino, ma Casella non ci fece caso.

«Questa donna abita al piano sopra al mio. Da poco s'è divorziata. Mi piace un sacco. Mo' oggi era il suo compleanno e gli ho accattato un mazzo di fiori».

«Hai fatto bene» assentì Nicola.

«Ci ho scritto un biglietto. Tanti auguri. E basta».

«Buono, come farebbe un signore. E poi?».

«Poi lei mi ha mandato un messaggio scritto qui alla questura in cui mi diceva: grazie». Ce l'aveva in mano il biglietto. Bianco, rettangolare, una grafia minuta, gentile, piena di volute. Lo rimise nel portafogli dove l'avrebbe conservato fino alla fine dei suoi giorni.

«E basta così?» chiese il cugino.

«Basta così. Mo' io tengo un problema. Quando torno a casa, che faccio? Io e lei ci siamo parlati sì e no quattro volte sulle scale».

«O saccio».

«Allora salgo su e le dico qualcosa oppure mi faccio i fatti miei vado a letto e vediamo?».

«La questione non è di facile risoluzione, Ugo. Fammiti dire. Se non dici niente è come se i fiori li butti nel cesso. Mo' tu hai fatto un passo importante, Ugo, e allora devi dare seguito».

«Sì. Che faccio? Salgo su?».

«Prendi il coraggio, bussi e dici: buonasera signora... come si chiama?».

«Eugenia».

«O saccio».

«Se lo sai che me l'hai chiesto a fare?».

Quello continuò: «Le dici, buonasera signora Eugenia. Sono il vicino eccetera eccetera».

«Scusa Nico', che vuol dire eccetera eccetera?».

«Oh Madonna, vuol dire: salve, sono il vicino di casa, si ricorda? Abito sopra a lei...».

«No, abito sotto» puntualizzò Ugo.

«Abito sotto a lei, mi fa piacere che ha gradito il mio semplice omaggio. E mi chiedevo se avevo scelto i fiori di suo gusto. Che fiori le hai preso?».

«La rosa gialla e arancione. Che vuol dire passione».

«O saccio. Ecco, sono di suo gusto? Mo' a questo punto, Ugo, si aprono due possibilità, stammi a sentire».

Ugo cominciò a pentirsi di aver chiamato il cugino.

«Siccome sarà signora educata ti dirà: sì mi sono piaciuti, la ringrazio per il gesto, non doveva e arrivederci, e come ti dicevo si aprono due possibilità...».

«Vabbè, mi vuoi dire la prima?».

«È complicato. Le due possibilità sono sì o no. Ma non lo saprai attraverso le parole, Ugo, devi imparare a leggere gli sguardi, l'atteggiamento del corpo. Per esempio se si appoggia alla porta è segno buono. Significa: ti concedo del tempo, sto rilassata, parliamo. Capito? Se invece resta in piedi con la mano sulla maniglia significa: sbrigati che tempo non ne ho. Se ti guarda con gli occhi sfuggenti, sorridenti, insomma che va un po' qua e un po' là...».

«È segno brutto? Tiene qualcosa che non va?».

«No Ugo! È buon segno. Ti sta dicendo che le piaci. Se invece gli occhi li tiene fissi nei tuoi, un po' freddi e distaccati, è meglio se te ne torni a casa. Ma la cosa più importante Ugo... aspe' che mi appiccio una sigaretta...».

Casella alzò gli occhi al cielo.

«Dicevo...». Nicola era tornato all'apparecchio. Casella lo sentì sputare fuori il fumo. «La cosa più importante, Ugo, sono le mani. Guardale le mani».

«Perché?».

«Perché magari abbiamo a che fare con una che sa nascondere. Gli occhi e il corpo possono ingannarti, le mani no. Se le mani le tiene... ma ce li hai cinque minuti?».

«Nico', ce li ho, sono io che all'inizio della telefonata l'ho chiesto a te».

«O saccio. Allora se le mani le tiene ferme hai due possibilità...».

Casella si sentì svenire. «Ancora?».

«La prima è il nervosismo. Ma in quel caso un po' tremano. Guarda bene le mani, Ugo. Se invece le tiene ferme ferme, insomma che non tremano, allora di te non gliene fotte niente».

«Finito?».

«Oh. Nel caso invece muova le mani e non sappia dove metterle allora è segno buono. Significa che è imbarazzata, che le piaci, che ci sta qualche possibilità. Mo' facciamo l'ipotesi uno, cioè che tu attraverso i movimenti del corpo hai capito che non gliene fotte niente di te. Che fai?».

«E che faccio? Me ne vado a casa!».

«Bravo Ugo. Invece mo' se coi movimenti che fa tu capisci che le piaci, che qualcosa insomma c'è, allora che fai?».

«Non lo so».

«O saccio».

«Lo sai che non lo so?».

«Che fai? Semplice. La inviti a cena. Così, bello dritto senza pensarci due volte. Le dici: gentile Eugenia, troverebbe azzardato da parte mia osare di invitarla a cena una di queste sere al ristorante ics ics ics?».

«Così le dico?».

«Ma al posto di ics ics ics ci metti il nome di un ristorante. Ce l'hai?».

«Sì, mi sono informato».

«Fai così, Ugo, o la va o la spacca!».

«Capito. Nico', grazie dei consigli, mo' devo chiudere che questa telefonata mi sta costando un sacco di soldi».

«Fatti la flat» suggerì il cugino.

«O saccio» gli rispose e Casella riattaccò proprio nel

momento in cui Antonio entrava nella stanza degli agenti. «Buongiorno, Ugo, e buona domenica. Novità?».

Casella guardò il monitor del computer. «Io su questo Romano Favre non trovo niente...».

«Allora fammi un favore». Si mise la mano in tasca e prese un foglietto. «Trovami questa targa a chi appartiene».

Casella digitò sulla tastiera.

«Fammi sapere appena hai novità».

Antonio appese il giubbotto all'attaccapanni e uscì dalla stanza. Aveva dormito poco o niente e gli sbadigli gli stavano lussando la mascella.

«Anche io non ho chiuso occhio». La voce di Italo lo sorprese alle spalle mentre con le mani sui muscoli lombari tentava di stiracchiarsi. «Caffè?» chiese Antonio.

«Ne ho presi tre e il veleno del distributore non mi va».

«Mi dici che succede con Rocco?».

«Provo a chiamarlo da stamattina» rispose Pierron, «ma ha il cellulare staccato. Io non lo so. Starà a Roma, come sempre, e come sempre non ci si capisce niente».

Si avviarono verso la macchina del caffè. «Senti, e se andassimo nella stanza del capo e ci facessimo un caffè come Dio comanda?».

«Mi pare una bella idea» approvò Italo, quindi svoltarono verso l'ufficio del vicequestore.

Regnava il solito odore di fumo stantio. Restarono per un attimo sull'uscio come a sincerarsi che Rocco non fosse lì, come sempre seduto alla sua poltrona a fumare e a guardare il soffitto. Poi entrarono e accesero la macchinetta.

«Anche 'sta storia di Caterina» cominciò Antonio. «Lo so che non ti va di parlarne, ma è strana assai».

Italo annuì. «Ufficialmente è ad Ascoli Piceno, ma lì non c'è. E dalla foto che ti ha dato Rocco risulta a Roma, o almeno quel giorno stava lì».

«Con chi?» chiese Antonio. «Rocco ancora non l'ha capito». Mise il bicchierino di plastica sotto il beccuccio e premette il pulsante. «Ma in tutto il tempo che siete stati insieme, a te non è mai venuto un sospetto, un'idea?».

Italo prese il suo caffè. «No. Certo non pensavo che lavorasse con qualche pezzo grosso del Viminale. Insomma, era un ispettore di polizia di Aosta, chi se lo immaginava?».

Antonio Scipioni si preparò il suo. «Eh già. Io dico che a Roma Rocco c'è andato per questa storia di merda. Guarda, mi gioco la tredicesima che ho già speso l'anno scorso» alzò il suo bicchierino in un brindisi ideale col collega e bevve d'un fiato. «Ahhh... questo sì, è caffè... vogliamo aprire il cassetto?» chiese Antonio con un sorrisetto furbo.

«Ma sei matto?».

«Perché? È domenica, chi vuoi che se ne accorga».

«Ma è mattina!».

«Se lui lo fa, lo possiamo fare pure noi, no?».

Si guardarono. Poi Italo scosse la testa. «Lo chiude a chiave».

«Embè, non sai aprirlo?».

«Aprirlo sì, è richiuderlo che mi preoccupa...».

«Lo faccio io» propose Antonio. «Dai!». Si avvicinò alla scrivania. Il cassetto era aperto. «Oh... non l'ha chiuso!».

«Bene» fece Italo. «E allora che aspetti?».

«Una in due?».

«Certo».

Antonio ci guardò dentro. Poche carte, due pacchetti di sigarette e una decina di canne pronte e già rollate. Ne tirò fuori una. «Andiamo?».

«E andiamo... apro la finestra».

«Accendo» disse Antonio sbracandosi sul divanetto.

«Aspetta, chiudiamo la porta a chiave! Metti entra qualcuno?».

«Hai ragione». Antonio si precipitò alla serratura ma la chiave non c'era. Chiuse la porta dopo aver buttato un'occhiata al corridoio. «Dai che non c'è un'anima».

«Senti, e se lo scopre?» chiese Pierron.

«Cosa?».

«Che gli abbiamo fumato una canna?».

«Ma che vuoi che scopra...». L'accese e prese il primo tiro. Scoppiò in una tosse convulsa che gli dipinse il volto di rosso. «Ma porca...» cercava di parlare fra gli squassi del petto e con la lingua di fuori. «Potentina...» e la passò a Italo asciugandosi gli occhi gonfi di lacrime.

«Quant'è che non fumi?».

Antonio tornò al divanetto. «Dal... liceo...» riuscì a dire mentre Italo aspirava. «Ahhh, buona è buona...».

Prese posto sulla sedia accanto alla scrivania e allungò le gambe.

«Che facciamo?».

«Andiamo avanti con le cose nostre» rispose Antonio riprendendo la canna che Italo gli stava allungando.

«Io questo Paolo Chatrian non lo trovo. Sembra sparito...».

«A casa niente?». Antonio aspirò appena. Stavolta il fumo scese senza spaccargli i polmoni.

«Niente...».

«Cerchiamo di capire dove lavora. Magari è andato in ferie».

«Dici?».

«Ma che cazzo ne so, Italo! Partiamo da lì, no?» e restituì il fumo a Italo che aspirò una generosa boccata.

«Ma che uno va in ferie a dicembre?».

«Perché non può?».

«E dove va? Al mare fa freddo, a sciare non c'è ancora abbastanza neve...».

«Insomma, mica tanto» fece Antonio indicando i tetti dei palazzi di fronte carichi di neve.

«È vero, ma uno che abita ad Aosta va a Pila quando gli pare, mica c'è bisogno delle ferie».

«Su questo agente Pierron le do ragione!» e recuperò la canna. «Oh, è quasi finita».

«Un'altra è fuori questione».

«Direi di sì. Magari è andato all'estero!» disse Antonio.

«Chi?».

«Come chi, 'sto Paolo Chalet» e tirò ancora.

«Chatrian».

«Come cazzo si chiama...» e sbottò a ridere. «Ma che razza di cognomi avete da 'ste parti. Chatrian, Marcoz, Mochettaz...».

«Vero? E perché Bechaz, Farcoz, Marguerittaz?» si unì alla risata.

«Cazzo ridi?» gridò Scipioni fra le lacrime, «te sei valdostano».

«Lo sai come faceva di cognome mia madre?».

«Dimmi un po'?».

Ma Italo non riusciva a rispondere soffocato dalle risa. «Perme...».

«Permesso?».

Il riso diventò una valanga. «Avanti!» fece Pierron.

«Perme... e poi?».

«Non... ci... riesco...».

Antonio scivolò dal divanetto. «Non ce la faccio... la pancia... la pancia... Dio che male...».

«Sei finito... per terra!».

«Lo so...».

La porta si aprì, apparve Casella.

«Casella!» urlò Antonio dal pavimento in preda alle convulsioni.

«Ciao Ugo!» gli fece il coro Italo con le lacrime agli occhi.

«Cazzo fate?».

«Boh...» rispose Antonio.

«Volevo dirti che il nominativo ce l'ho» fece Casella. «Allora, la macchina è di tale... Berardi Oriana, residente in Aosta via Edelweiss 26».

«E sticazzi!» gridò Pierron. Le risate aumentarono ancora di volume. Casella scosse la testa. «Se vi scopre Schiavone ve lo fa a strisce».

«Scopre cosa?».

«Che gli prendete le sigarette dal cassetto».

Antonio e Italo con le lacrime agli occhi lo guardarono. «Ma... lo sai?».

«Faccio il poliziotto, io, che te lo sei scordato? Vabbè, torno a lavorare, dopo mettete a posto» e se ne andò. Antonio e Italo si guardarono seri per due secondi, poi scoppiarono ancora a ridere.

Nonostante la temperatura fosse poco al di sopra dello zero stavano seduti sulle scale della fontana di piazza Santa Maria in Trastevere con tre cartocci di fusaie e due lattine di birra, masticavano lenti guardando la piazza. Lupa s'era accucciata ai piedi dei gradini e seguiva curiosa i piccioni che zompettavano fieri neanche fossero i padroni del quartiere. Furio sputò una buccia centrando le grate del tombino: «Tre punti!». Anche Brizio provò, ma il colpo non andò a segno. Poi diede di gomito a Rocco che masticò per bene e sputò la buccia. Rimbalzò sulla ghisa per rotolare sul marciapiede. «Niente» commentò. «Un euro a Furio». Lui e Brizio si misero la mano in tasca e pagarono l'amico. Andarono avanti col gioco per una decina di minuti finché Brizio dopo una sorsata di birra guardò il cielo terso e un paio di gabbiani che ci sfrecciavano sopra. «Eppure un modo ci deve essere» disse.

«C'era» lo corresse Furio, «dovevamo ammazzare Baiocchi quando era ancora in giro».

«Lo dovevamo ammazza' nella culla» lo corresse l'amico.

Rocco si accese una sigaretta. «Troppi dettagli non mi tornano. Diciamo che Furio ha ragione, Enzo Baiocchi ha sempre saputo dove stava il fratello e l'ha detto quando le speranze di mettermi le mani addosso erano svanite. È nel suo modo di fare, e può essere...».

«Io sono sicuro che è così» aggiunse Furio.

«Mi spiegate Sebastiano? Perché ha paura di parlare in casa sua? Chi ha addosso? Chi lo spia? E che bisogno c'è di spiarlo?».

«Con me non ci parla» fece Furio. «Ho provato a chiamarlo, era vago, pensa, m'ha solo raccontato che si è messo a dieta di carboidrati, che sennò a stare dentro casa diventa una barca».

«No perché mo' è magro...» fece Brizio.

«Già. Poi sono passato a casa sua. S'è affacciato, non m'ha fatto salire, ha fumato una sigaretta alla finestra, m'ha salutato e... ciao core».

«Manco di te si fida» ma era un pensiero che Rocco disse ad alta voce.

«E va bene Rocco, te ne vai da Roma, e allora?» attaccò Brizio che non si teneva più. «'Sta città sporca, de bottegai che non pagano le tasse, de ministeriali che non fanno un cazzo, di turisti che girano a centinaia come i branchi de bufali e zozzano quel poco che è rimasto da zozza'. Una città con la gente che piscia per strada. Che te ne frega? Che cazzo rimpiangi? La monnezza a ogni angolo de strada? Le file che non finiscono più? Questa città è un buco nero, tutto quello che tocca lo trasforma in merda, amico mio, che rimpiangerai? La metropolitana che so' cinquant'anni che la stanno a scava'? Che te mancherà? I negozietti con la foto del papa e i crocifissi fatti in Cina? I gladiatori? I cinesi? La puzza di vomito e di merda? Che quando arriva l'estate pare de sta' dentro a un vespasiano? Una città di gente incazzata che basta che respiri e già te mannano affanculo? Trenta euro pe' 'na pizza? Ma dimme dove vai che te raggiungo... se solo trovo il coraggio, la spinta, perché poi è tutta una discesa. Se sei abituato a 'sto posto manco il deserto della Mongolia te dovrebbe fa' paura. Tu damme la spinta, Rocco, e io arrivo!».

Rocco gli sorrise. Lo abbracciò per un attimo. «E come fai senza cacio e pepe?».

«Ma sticazzi della cacio e pepe e della carbonara e de 'sti quattro intrugli da pecorari che cucinano. Portame in mezzo ai cocchi, all'ananas...».

«E alla figa» concluse Furio.

«No, lì te sbaji» lo corresse Brizio. «Quella a Roma se Dio vuole c'è».

Finirono gli ultimi lupini in silenzio.

«Er bulgaro sta là?» chiese Rocco. Brizio annuì. «Questi hanno cominciato a scavare di domenica. Secondo lo zio de Stella prima di domattina non sono arrivati. Certo dipende da quanto cemento armato ce sta là sotto».

«Posso scendere nei dettagli?» chiese Furio. Poi si guardò intorno. La scalinata era vuota, con quella temperatura neanche i turisti finlandesi si sarebbero seduti a prendere aria. «Quella sera, quando avete seppellito Luigi Baiocchi, a che profondità l'avete messo?».

«Non me lo ricordo». Rocco si stropicciò gli occhi. «E manco me lo voglio ricordare».

«Più o meno».

«Stavamo con la terra qui» e si indicò il petto.

«Quindi più o meno un metro e mezzo. E l'avete ricoperto?».

Rocco distese le gambe. Accartocciò la carta gialla che conteneva i lupini. «Ma perché cazzo me lo chiedi? Chiaro che l'abbiamo ricoperto, lo lasciavamo così? All'aria aperta?».

«Non ti incazzare».

«Furio, non è una cosa piacevole».

«Ma l'hai fatta, qui stiamo cercando di capire i tempi. E i tempi con un metro e mezzo di scavo so' pochi. Pochi davvero».

«Mi bastano. Certo tutto di colpo, così, senza preparazione, non ci avevo pensato. Lasciare Roma, voi, quasi cinquant'anni di vita...» guardò gli amici. «Ma d'altra parte è come la morte, no? Mica avverte quando arriva. Una volta ho letto su un muro una frase, chissà di chi era. La volete senti'?».

«Se proprio dobbiamo» disse Brizio.

«La vita è la peggiore maestra. Prima ti interroga e poi ti spiega la lezione».

I due amici restarono in silenzio a rimuginare. «Bella» fece Furio. «Proprio così...».

«Comunque mica è finita, no?».

«Invece è finita Brizio, ma mica oggi» gli rispose Rocco. «È finita sei anni fa». Si alzò e si allontanò dalla fontana insieme a Lupa.

«Oh, domani dal notaio?» gli gridò Brizio.

Rocco alzò solo la mano senza voltarsi e si incamminò verso il lungotevere dove aveva parcheggiato l'auto.

Doveva chiudere tutti i capitoli ancora aperti, e ce n'era uno che riempiva i suoi pensieri da giorni. Doveva approfittare di quella domenica così pigra e indolente che sembrava non voler passare mai per dargli l'attenzione che meritava. Il numero di Sasà era ancora nella memoria del cellulare. «Sasà? Indovina chi sono?».

«Deficiente» rispose la voce assonnata del magistrato. «Come stai Rocco? Io e te non ci sentiamo da un po'».

«Dalla brutta storia di sei anni fa».

Sasà d'Inzeo, il magistrato col quale aveva risolto il caso dei due ragazzi uccisi dai trafficanti di cocaina, quello che a Rocco era costato più della vita.

«So che te ne stai ad Aosta. Che si dice di bello da quelle parti?».

«Non lo so, Sasà, dal momento che sono a Roma».

La voce del vecchio magistrato divenne seria. «Che succede? Di che hai bisogno?».

«Sei ancora sulla breccia?».

«Fra un anno mi ritiro. Ma finché si sguazza in questo mare merdoso, a disposizione».

«Ci dobbiamo vedere».

«Dove sei, Rocco?».

«A Trastevere».

«Aspettami a Ponte Sisto. Dieci minuti e ti raggiungo. E guarda che ti avrei chiamato io...».

«Perché?».

«Dopo te lo dico. Arrivo».

«Sicuro che non ti disturbo?».

«Non ho niente da fare e la Lazio oggi manco gioca».

Si appoggiò al parapetto a guardare il fiume e i palazzi dall'altra parte del Tevere. Da bambino via dei Giubbonari era un'altra città. A nessuno di loro veniva in mente di attraversare Ponte Sisto. Per fare che? Di là c'erano altre bande, altre storie. Per esempio al Monte di Pietà c'era Riccardino, che a dodici anni era già alto un metro e settanta e aveva padre e zii a Regina Coeli. Andava sempre in giro con Carota e Ciancica. Se ti trovavano dalle loro parti ti portavano giù alla riva per buttarti in acqua. Oppure ti legavano agli anelli di ferro dei muraglioni finché qualcuno non ti veniva a liberare. Riccardino menava come un fabbro, Ciancica era uno di coltello. Carota invece era indietro. Poco più di un deficiente, sapeva solo andare in bici a consegnare il pane del forno. Se lo vedevi passare da lontano gli potevi urlare: «A roscio! Nun te fa' la riga in mezzo che pari un gettone!». Tanto non capiva e soprattutto non lo avrebbe mai raccontato a Riccardino. Chissà che fine avevano fatto, si chiese Rocco mentre il corpo goffo e appesantito di Sasà d'Inzeo col passo spedito nonostante la mole si avvicinava. Allargarono le braccia nello stesso momento.

«Ti trovo in forma» mentì Rocco.

Sasà fece lo stesso. «Anche io».

«Ci prendiamo qualcosa o mi vuoi parlare camminando?».

«Ti voglio parlare camminando». Attraversarono il lungotevere e si persero nei vicoli di Trastevere.

Rocco impiegò dieci minuti per raccontargli la storia di Caterina e del suo tradimento. Alla fine decisero di sedersi al bar ad angolo con via della Lungara che Sasà s'era affaticato.

«Dunque se ho capito bene 'st'ispettore Rispoli ti controllava e mandava le spiate a qualcuno al Viminale».

«È così. E io voglio sapere chi è che me l'ha messa addosso».

«Allora» fece Sasà prendendo una sigaretta dal pacchetto di Rocco poggiato sul tavolino. «Hai provato ad andare indietro, ai tempi del tuo trasferimento?».

«Sì. Ma non mi viene in mente niente. Nessuno. Meglio, a parecchia gente stavo sul cazzo, dirigenti per lo più, ma questo accanimento mica lo capisco».

Sasà aspirò il primo tiro. «Le Camel fanno schifo».

«E comprate quelle che ti piacciono!».

«Hai qualche indizio?».

Per rispondere Rocco tirò fuori il cellulare e gli mostrò la foto che Brizio gli aveva mandato. «Questa che vedi è l'ispettrice».

Sasà la guardò. «Caruccia. Senti un po', ma tu...».

«Sì» rispose Rocco prevenendo la domanda.

«Te sei portato il nemico a letto» commentò scuotendo la testa.

«Ecco, io voglio sapere chi è 'sto tizio. Capelli bianchi, al polso ha un Rolex Submariner e ho scoperto pure che fuma le Dunhill».

«Un cazzaro» commentò il magistrato. «Così mi dice poco» e restituì il cellulare all'amico. «Come ti posso aiutare?».

«Non lo so...».

«Ma ammesso che ci riusciamo, una volta che sai chi è?».

Rocco si lasciò andare sulla sedia. «È importante dare un nome al tuo nemico. Almeno so da dove arrivano i colpi. Al telefono hai detto che mi volevi chiamare».

Sasà fece un gesto con la mano per zittire Rocco. Il cameriere era arrivato con due caffè. Li servì, prese i soldi e sparì dentro il bar.

«È arrivata la richiesta da Aosta, la storia di un villino. Il magistrato richiedente è Maurizio Baldi, non lo conosco ma quando ho saputo che c'era Aosta di mezzo ho attizzato le orecchie. Che storia è?».

Rocco bevve il caffè. Non che ne avesse voglia, soltanto doveva prendere tempo. «C'è di mezzo Enzo Baiocchi».

«Ancora?».

«Sì. Ha detto che il cadavere di suo fratello si trova nelle fondamenta di quel villino».

Sasà strizzò gli occhi. «Ed è lì?».

«Mi offende solo il fatto che tu me l'abbia chiesto».

Sasà scosse la testa. «Ma il magistrato di Aosta ne è convinto, o mi sbaglio?».

«No, non ti sbagli».

Sasà finì il caffè, poi si stiracchiò alzando le braccia al cielo. «Che dolore... schiena, muscoli lombari, tutto!».

«Non me ne parlare. Io mi incricco sempre di più».

«Allora io mi do da fare. Qualsiasi cosa scopro te la dico». Si alzò dalla sedia. «Mi ha fatto piacere vederti. E se ti posso dare un consiglio, preparati sempre una via di fuga, non ti far mettere con la schiena al muro». Gli strizzò l'occhio e si incamminò.

«Frena un po'...» disse Deruta osservando la campagna fuori dal finestrino. Poi prese in mano una cartina stropicciata. «Allora... qui è giusto?».

D'Intino non rispose. Guardava fisso davanti a sé, le mani strette sul volante.

«Siamo sotto Arnad...» poi l'agente guardò la campagna coperta di neve. C'erano due piccole case e uno scheletro di deposito ricoperto da rami rinsecchiti e il tetto di bandone ondulato. «Che dici Mimmo?».

«Non lo saccio. Ho freddo, giriamo da due giorni e mi sono rotto».

«Allora parcheggia a quella piazzola che io vado a dare un'occhiata».

«Tanto» e l'agente abruzzese alzò le spalle, «nun le truvemo!». Mise la marcia e si avvicinò al piccolo slargo liberato dalla neve. «Che poi io dico: lu vicequestore addo sta?».

«L'hai sentito Pierron, no? È andato in Slovenia a vedere di trovare qualche traccia del camion. Oh, D'Inti', io vado. Tu resti qui?».

«Sì».

Deruta aprì lo sportello. Il freddo lo colpì dritto al viso. Con qualche sforzo riuscì a scastrare i 100 chili dal sedile e finalmente si ritrovò fuori dall'auto. Prese un respiro profondo che gli fece girare la testa. «Che freddo!» disse. «Va bene, tu aspetta qui, io vado...».

«Se non ti vedo tornare fra dieci minuti che faccio?».

«Vienimi a cercare, no?».

«Giusto!» rispose D'Intino. Deruta si aggiustò i pantaloni alla vita, poi col primo passo scavalcò il mucchio di neve e cominciò a addentrarsi nella campagna. Il cielo era grigio e in alto volavano degli uccelli neri che ogni tanto lanciavano grida. Gli anfibi affondavano nel manto nevoso. Nel silenzio sentiva solo il rumore metallico di qualcosa che sbatteva pigro al vento gelido e leggero che scorrazzava lì intorno. Si infilò i guanti guardando dritto davanti a lui. La casetta alla sua destra sembrava abbandonata. Man mano che si avvicinava distingueva i muri scrostati, le finestre senza vetri e il tetto sfondato al centro. Sperava di poter bussare e chiedere informazioni, ma in quella baracca al massimo avrebbe trovato dei topi, ammesso che l'inverno i topi non vadano in letargo, questo Deruta non lo sapeva. Avrebbe potuto chiederlo a D'Intino se quello si fosse deciso a scendere e accompagnarlo fino allo scheletro di deposito che aveva a cento metri di distanza. Anche quello era abbandonato. A parte i rami secchi di qualche rampicante che lo avvolgevano come zampe di un enorme insetto, il tetto di lamiera era sollevato in più punti e giocava col vento. Da lì proveniva quel rumore metallico, concavo e cupo. Tirò su col naso, evitò una buca e proseguì. Batté le mani una contro l'altra per scaldarle. Una vecchia recinzione di ferro e legno era crollata in più punti. Notò che impigliati nel filo spinato c'erano ciuffi di peli bianchi, probabilmente una volta ci tenevano pecore o capre. Scavalcò il filo di ferro agilmente procurandosi solo uno sgarro ai pantaloni. «Mannaggia...» imprecò. Per fortuna lo spuntone arrugginito non aveva graffiato la pelle, altrimenti c'era da andare a farsi l'antitetanica. Il piazzale davanti al capannone era pieno di neve ma erano evidenti tracce di pneumatici. «C'è nessuno?» gridò Deruta con le mani a megafono davanti alla bocca. Attese. Gli risposero solo gli uccellacci neri appollaiati sui rami di un albero spoglio lì vicino. Proseguì fino ad arrivare all'entrata. Era spalancata. Le doppie ante dell'enorme porta di metallo giacevano appese ai cardini. A passo lento entrò nel capannone. Lungo un centinaio di metri prendeva luce da coperture di plastica che correvano tutt'intorno alla costruzione appena sotto il soffitto. Era vuoto a parte dei pallet abbandonati ai piedi di un muro perimetrale. «C'è nessuno?» urlò ancora. Stavolta a rispondere fu l'eco dello stanzone. Guardò in terra. Impresse sulla polvere e il terriccio, tracce di pneumatici e suole di scarpe. Forse, pensò, è un posto che usano d'estate. Continuò l'esplorazione misurando i passi e poggiando prima il tallone poi la punta dell'anfibio, come se non volesse fare troppo rumore. Si avvicinò ai mucchi di legna addossati alla parete. In mezzo vide una vecchia pala arrugginita e la ruota di una carriola. Qui e lì sacchi di plastica che contenevano concime. Una brezza portò un odore di cenere e plastica bruciata. Si guardò intorno e proseguì. L'odore si faceva più potente man mano che penetrava nel deposito. C'era una collinetta di terra scavata al centro. Sembrava il vulcano che si fa con la farina e le uova per preparare la pasta. Nella fossa creata dai bordi di terriccio avevano acceso un fuoco. Raccolse un bastone e cominciò a rimescolare la cenere. Non faceva più fumo né appariva la brace, era un fuoco vecchio. Un dettaglio lo attrasse. Sotto al terriccio trovò un pezzo di carta plastificata gialla. Un triangolo di qualche centimetro carbonizzato sui lati. «Ecco cos'è che puzza» disse ad alta voce, poi lo gettò a terra. Finì il giro ma a parte delle scritte incomprensibili sulle pareti e pezzi di metallo contorti non trovò altro. Un'ultima occhiata e si incamminò verso l'auto ferma nella piazzola. Ripercorse lo stesso tragitto calpestando le proprie impronte, poi, mentre scavalcava la recinzione cercando di evitare un secondo graffio, fu colpito da un'immagine. Un brivido gli percorse la schiena e come una scarica elettrica finì dentro gli scarponi. Sentiva il battito del cuore aumentare i colpi e i polmoni strizzarsi per cacciare fuori l'aria. Era una sensazione strana, quasi mai percepita, ma Deruta aveva capito! «D'Intino! Mimmo!» urlò. Ma quello chiuso in macchina a più di cento metri non lo poteva sentire. Allora prese il cellulare e lo chiamò. «Che c'è?».

«D'Inti', corri. Mi sa che ci siamo!».

«Adesso avrei bisogno di parlare con te».

Sarebbe bello ricominciare daccapo, ma non saprei neanche da dove partire. Sai che mi viene voglia di fare? Restare qui, aspettare gli eventi, se va male poi saprò. Dove sei? Ecco, se me ne vado almeno questo non lo soffrirò più. Ma non ho voglia di lottare, per niente. L'unica cosa che vorrei è averti accanto.

«Prima o poi il conto arriva, Rocco».

Ecco, l'ho sentita. «T'ho sentita, ci sei? Corretto, amore mio. È giusto pagarlo. Mi sottrarrei, se avessi almeno un motivo. E l'ho cercato il motivo Mari', lo sai quanto, ma non lo trovo».

«È terribile» dice. È accanto a me, come quel giorno, l'ultimo giorno, anche allora era seduta vicino a me in auto. «Come hai potuto, Rocco?». «Doveva pagarla quel figlio di puttana, non potevo fare altro» le dico. E lei strizza gli occhi, lo faceva sempre prima di mettersi gli occhiali. «Ed è servito?» mi chiede. No che non è servito, è restato tutto uguale, non ho cambiato una virgola. «Se tu fossi ancora qui con me non sarebbe successo. Non l'avrei mai fatto, ma tu con me non ci sei più».

«Guardami». Mi sorride. Apre la bocca ma non sento niente, poi sorride ancora. «Non voglio che mi giustifichi, amore mio». «Non potrei farlo, Rocco. Nessuno lo può fare. Lo sai cosa ho imparato? Le azioni che compi riguardano solo te. Il giudizio lo puoi dare solo tu, mica un altro. Hai ucciso un uomo, e questo non si cancellerà mai, qualsiasi cosa io possa dire. Ti accompagnerà per sempre. Non c'è più leggerezza, non c'è più fiato e respiro. Resta solo un cielo grigio e pesante». Vero. Ha ragione. «Ora trova un motivo e vai avanti, Rocco. Uno qualunque, ma tro-

valo». Si aggiusta i capelli e io vorrei tornare indietro a quel momento, quell'attimo in cui mi sono abbassato e morire è toccato a lei. «Io non posso essere il motivo, Rocco, amore mio. Cercalo in mezzo ai vestiti, fra i libri, magari lo trovi in un bar o sul marciapiede di una stazione. Non lo so dov'è, però sta lì, da qualche parte, e ti aspetta». «Ti ricordi quando rubavamo due giorni e facevamo i turisti a Roma? Andavamo per musei, mi portavi a vedere le statue di Bernini, mi spiegavi, mi raccontavi i quadri, i palazzi, mangiavamo la pizza bianca con la mortadella facendo finta che fosse la prima volta che l'assaggiavamo, poi andavamo al fontanone ad aspettare che calasse la notte».

«... a vedere ogni uccello mutarsi in stella nel cielo».

«Proprio così Marina, come la poesia. Niente di che, lo so, ma quello, per dirti, è un motivo».

«Negare, negare sempre, dicevi».

«Io?».

«Tu. Continua a farlo».

«Non ti vedo».

«Continua a negare, prendi tempo, aspetta».

«E poi che succede?».

«Intanto resti vivo. Poi si vedrà» e una lacrima sottile quasi invisibile le scende giù per la guancia. «Non piangere, amore mio». «Non piango, Rocco. Io non so piangere più».

L'inno alla gioia frantumò i pensieri come fossero uno specchio e le schegge di vetro per qualche centesimo di secondo gli rimandarono il viso di sua moglie. Al terzo squillo Rocco tornò alla realtà e attivò il vivavoce. «Chi scassa il cazzo?» chiese.

«Rocco, sono Italo. C'è una novità».
«Dimmi».
«Deruta e D'Intino, mi sa che hanno trovato il capannone».
«Quale?».
«Quello che hanno usato per il camion. Ora c'è andata la Gambino a cercare evidenze. S'è già arrabbiata con Deruta, dice che ha lasciato le sue impronte in giro».
«Un giorno ci dovrà spiegare come facciamo a entrare nei posti, la levitazione alla scuola di polizia non la insegnano ancora».
«Ascolta. Deruta ha trovato un frammento di adesivo giallo dentro la cenere di un fuoco spento da un pezzo».
«Ma non senti qualcosa che scricchiola?».
«In che senso?».
«Che Deruta e D'Intino abbiano scovato il posto è roba di un altro pianeta».
Italo rise. «Lo so, io e Antonio non volevamo crederci».
«Va bene, Italo. Fai controllare a chi è intestata la proprietà del capannone e cercate di capire se c'è qualche vicino che ha visto qualcosa».
«Speriamo... è un passo avanti, no?».
«Lo è, anche se io come sono andati i fatti l'ho capito da un pezzo».
Attaccò il telefono e Lupa abbaiò dal sedile di dietro.

Per prima cosa Casella guardò nel bidone della spazzatura. Tirò un sospiro quando constatò che il mazzo di rose non c'era. Poi si avviò verso il portone. Si aprì, qualcuno aveva aggiustato la serratura togliendo il mozzicone di chiave che ci aveva lasciato dentro. Salì passando davanti la sua porta. Niente, né un biglietto né per fortuna il mazzo di rose. Salì ancora. Le gambe gli tremavano, fu un calvario arrivare al terzo piano, quello di Eugenia. Gli sembrava più bello, più signorile del suo. I colori parevano più giusti, il marrone della parete aveva una sua grazia e le porte erano decisamente più brillanti. Più sicure. Più blindate. Quella di casa Artaz sembrava emanare un profumo. Era marrone, come tutte le altre, con lo spioncino al centro, come tutte le altre. Come tutte le altre aveva la maniglia di ferro, ma a Casella sembrava la porta più bella che avesse mai visto. Sul campanello il cognome. Alzò la mano e avvicinò il dito. Tremava. Riportò giù il braccio. Non ce la faceva, proprio no.

Forza Ugo, ricordati che ha detto Nicolino, pensò, guardale le mani.

Arrivò a toccare il pulsante, ma non a premerlo. Si asciugò la fronte, si annusò l'ascella soddisfatto, teneva ancora. Si aggiustò i pochi capelli, le sopracciglia. Si ispezionò velocemente il naso, non sia mai ci fosse stato qualcosa di orribile in bella vista. Si sgranchì il collo e poggiò il dito per la terza volta sul campanello. Sentì un suono dolce propagarsi per l'appartamento. Tenero, antico, lo immaginava volare in giro per quella casa, accarezzare i mobili, le tende, le sedie intorno al tavolo che sicuramente erano quattro e finire nelle orecchie di Eugenia che lui vedeva, chissà perché, seduta davanti a un lume a ricamare. Come se nel 2013 qualcuno ancora lavorasse al tombolo. Percepì l'avvicinarsi di passi decisi. La chiave girare nella serratura. Deglutì e riprese a sudare. Fra poco il viso di Eugenia sarebbe apparso davanti a lui. Non doveva perdere un movimento. Si ripassò la frase di esordio a mezza voce: «Buonasera signora, sono Ugo Casella, il vicino, abito sotto a lei, mi fa piacere che ha gradito il mio semplice omaggio. E mi chiedevo se avevo scelto i fiori di suo gusto...».

La porta si spalancò. Apparve un ragazzo sulla ventina, riccio, le spalle grosse e il naso con la gobba. «Salve. Dica...».

«Sono il vicino, abito al piano di sotto».

«Ho fatto rumore? L'ho disturbata?».

«No no» si affrettò a rispondere Casella. «Cercavo la signora...».

«Mamma non c'è. Vuole dire a me?».

«Che?».

«Non lo so. Ha un messaggio per lei?».

«Sì». Casella prese fiato. «Sua madre mi ha scritto un bigliettino, no?».

«Sì...».

«E c'era scritto: grazie».

«Capisco. E lei voleva dirle?».

«... prego».

«Va bene. Riferirò a mamma».

«Grazie».

«Prego».

«Arrivederci» disse Casella.

«Arrivederci a lei» rispose il ragazzo chiudendo la porta.

L'agente scese le scale a due a due. Un secondo contatto era stabilito. Dopo la storia del portone dell'altra sera, uno scambio di gentilezze. Lei aveva detto grazie e lui aveva risposto prego. Ma appena rientrato in casa, davanti alla sedia solitaria e screpolata, il dubbio tornò ad azzannarlo feroce come un cane da guardia. Poi il dubbio divenne certezza. Le cose con Eugenia Artaz non andavano bene o male, non andavano proprio. Gli venne da piangere mentre prendeva la padella per friggerci le uova. Considerò che anche quella era un pezzo unico. Come la pentola per la pasta, il bricco per il latte e la moka, rigorosamente per una persona. A parte forchette e coltelli comprati al mercatino in pacchi da sei e i bicchieri della Nutella, ne aveva cinque, tutto il resto urlava al mondo la sua solitudine.

Lunedì

Uscirono dal notaio Motta alle 11 del mattino nel traffico asfissiante del quartiere Parioli. Oggi quartiere signorile da ottomila al metro quadrato, una volta un luogo nel quale vivevano i coltivatori di pere, i peraioli. Brizio baciò Stella che prese un taxi e volò a casa. Fece un numero al cellulare e si diresse verso l'auto di Rocco lasciata in doppia fila a piazza Euclide. «Allora?». Brizio col viso teso era al telefono. Rocco pensava solo a Lupa che con tutte quelle macchine non sapeva attraversare. «Vieni piccola, forza!».

«Va bene, va bene...». Brizio chiuse la telefonata. «Damose 'na mossa Rocco, l'Infernetto è lontano».

«Che dice Furio?».

«Che dobbiamo andare».

Salirono in macchina, lasciarono tre euro al parcheggiatore magrebino e scattarono verso il grande raccordo anulare.

«Prendi corso Francia che famo prima» fece Brizio.

«T'ha detto se c'è la polizia con gli operai?».

«Un paio di agenti. Io dico che è meglio se non ti vedono».

«No, direi di no».

«Vado io, Rocco. Un punto per osservare lo trovo. Tu resta in macchina. Hai chiamato il commercialista?».

Rocco annuì.

«Il biglietto?».

«C'è tempo domani».

«Passaporto?».

«Brizio, basta. È tutto a posto, ora fammi guidare e pensare ad altro».

«E a che vuoi pensare?».

«Per esempio raccontami un po' di Stella, se vi sposate...».

«Lei vorrebbe...». Brizio accese la radio. «Io non lo so, te l'ho già spiegata come la vedo. Oh!».

«Che c'è?».

«Se ci sposiamo tu non mi puoi fare da testimone!».

«Chiedilo a Furio...».

«Furio è già il testimone di Stella. Potresti tornare, fare il testimone e poi te ne voli in Giamaica o dove cazzo sarai».

«E secondo te io rischio il gabbio pe' fatte da testimone?». Rocco gli sorrise. «Dimmi solo se le fedi le vuoi d'oro giallo o d'oro bianco».

«Non te lo chiederò Rocco, sta' tranquillo, lo faccio fare a Sebastiano appena finisce i domiciliari oppure a Diego».

«A Diego?».

«Embè? Perché?».

«Perché lui amava Stella, stavano insieme, no?».

«Lascia perde» fece Brizio accendendosi una sigaretta.

«Come sta? Non lo vedo e non lo sento da anni».

«Ha aperto un negozio di arredamento in franchising e sta con una domenicana».

«Ah però, mica male».

«Mica male de che? Quando l'ha conosciuta era caruccia, pesava 49 chili, capelli ricci e folti. Appena s'è sposato nel giro di pochi mesi j'ha fatto 'na specie de mutazione genetica davanti all'occhi. Mo' pesa 78 chili, ha portato in Italia madre padre due fratelli e la nonna e Diego non conta più un cazzo. Fra l'altro uno dei due fratelli, tale Junot, se lo so' pure bevuto perché se faceva i motorini. Avvocati, soldi. La nonna invece j'ha preso lo sturbo e l'ha dovuta porta' a una casa di riposo a duemila euro al mese. Insomma Rocco, Diego s'è sderenato!» e scoppiò a ridere. «Vatte a mette con la domenicana. Furio l'aveva avvertito, quella è un uovo di Pasqua, gli aveva detto. E lui niente, non ci sentiva. Ecco, dentro ci aveva 'na sorpresa che levate!».

«Povero Diego».

«Sì, poraccio. Però se nun te levi 'sta lumaca con la Panda qui davanti all'Infernetto ci arriviamo a Ferragosto!».

«Ma hai guardato se le tremavano le mani? Se ti mentiva?».

«Nicoli', ma tu non capisci o non vuoi capire? Non l'ho vista. Ho parlato col figlio e al figlio gli ho dato il messaggio...». La voce dell'agente Casella rimbombava nella stanza vuota. Il monitor era sempre acceso sul motore di ricerca.

«O saccio».

«E allora se lo sai che continui a chiedermi se l'ho incontrata? Non l'ho incontrata!».

«Ugo, fammi capi' bene. Tu le hai dato i fiori e ci hai scritto: Tanti auguri...».

«Esatto!».

«Poi lei ti ha risposto con un bigliettino in cui diceva: Grazie!».

«Esatto!».

«E alla fine tu al figlio gli hai detto di riferirle: Prego!».

«È così».

«E mo', ti pare una cosa fatta bene?».

«Che dovevo dire?» chiese Casella girando la sedia e guardando dalla finestra i monti coperti dalle nuvole. Si accorse che il filo del telefono gli si era attorcigliato intorno al corpo. «Mannaggia...».

«Che è?».

«'Sto filo... aspe'» si districò. Gli cadde la cornetta che recuperò in fretta. «Oh, Nicoli', ci sei?».

«Ci sono sì».

«Che stavi dicendo?».

«Dovevi insistere. Dovevi chiedere di lei. Così rischi di chiudere la storia. Mo' tu ti devi inventare un modo per parlare con la signora. E ti devi ricordare tutti i suggerimenti che ti ho dato».

«Va bene. Ma che faccio?».

Ci fu un silenzio. Nicola Di Scioscio stava pensando. «Ugo, qui bisogna agire, e bisogna farlo subito, prima che si raffreddi il mazzo di fiori. Prendi il toro per le corna».

«Cioè?».

«Mo' tu stasera vai da lei. Ti fai bello, ti dai una pettinata, verso le sette bussi e dici: posso avere l'onore di invitarla a cena?».

«Non ce la faccio».

«Ce la devi fare».

«Nicoli', non ce la faccio».

«Ce la devi fare».

«E se quella dice no?».

«Ugo, se quella dice no te la togli dalla testa e continui la vita tua. Ma se dice sì...».

Casella sorrise e si appoggiò al tavolo con lo stomaco vuoto per l'emozione. «Se dice sì... Grazie, Nicoli', mo' prendo il coraggio e stasera vado».

«Mi raccomando. In bocca al lupo!».

«Crepi il lupo!» rispose chiudendo la telefonata. Suo cugino aveva ragione. Non era più il tempo di tergiversare, ma agire, affondare il colpo.

«Buongiorno Ugo!». Antonio Scipioni era appena entrato nella stanza. «Trovato niente?».

«Macché. Romano Favre non ha iscrizioni a Facebook, niente Instagram che ci ho messo un'ora solo per capire che cos'è e neanche Twitter, non so più dove cercare. Ma non ce l'abbiamo uno bravo coi computer? Io sono giorni che sto qui davanti, mi ballano gli occhi».

«Allora vieni con me, facciamo un salto al catasto».

«Ti compri casa?» chiese Casella alzandosi.

«No, controlliamo una proprietà...».

«Io sono geometra» fece Casella.

«E perché io no? Copriti che ha ripreso a nevicare».

Il cielo era coperto da nuvole grigie e la luce si spandeva lattiginosa e piatta. Brizio era sceso dall'auto che Rocco aveva parcheggiato a un centinaio di metri dalla villetta. Non gli piaceva restare solo in quel posto. Doveva concentrarsi per evitare la massa di ricordi che tornavano a ondate minacciose. Cercava di scansarli scuotendo la testa neanche fossero scrosci d'acqua sui capelli.

«Allora io vado, Rocco. Telefono acceso, ricordati il numero che t'ho dato...».

Rocco sorrise appena e Brizio ad ampie falcate si allontanò.

Furio era all'angolo della strada che aspettava. Appena vide l'amico avvicinarsi gli andò incontro. «So' veloci Brizio, hanno già bucato il cemento...».

«Come facciamo?».

«La casa accanto è disabitata».

Brizio mollò una pacca all'amico. Tre villette a schiera, tre piccoli cancelli che davano su minuscoli giardinetti privati. Davanti alla terza, la casa dei lavori, c'era un'auto della polizia con un agente a bordo che fumava tranquillo. Due camion e un furgone erano parcheggiati sul marciapiede. Il rumore del martello pneumatico riempiva l'aria. Un operaio uscì portando una carriola carica di sacchi di plastica pieni di detriti. Superarono il primo villino e raggiunsero il secondo della schiera. Dopo aver gettato uno sguardo all'auto della polizia Furio aprì la serratura del cancelletto. Veloci entrarono nel giardino ricoperto di terra giallastra. La villetta era chiusa, gli scuri accostati e l'intonaco già crepato. «Te fai la blindata?».

«No, facciamo il giro» disse Furio. Svoltarono l'angolo della casa e arrivarono all'entrata posteriore. Anche lì un piccolo giardino rettangolare spoglio e triste. Sul terriccio riposava una vecchia casetta di plastica per bambini sporca e sbilenca. La porta-finestra della cucina era chiusa da due scuri in metallo. Furio trafficò per qualche secondo con le sue chiavi, poi l'anta magicamente si spalancò. Aspettò che il martello pneumatico riprendesse a fare rumore per mollare una gomitata al vetro che andò in mille pezzi. Infilò la mano e aprì la finestra. «Prego...» disse a Brizio che entrò nella casa disabitata.

La luce tiepida che penetrava dalle ante degli scuri accostati sbavava le stanze. Non c'erano mobili, sulle pareti della cucina solo le macchie lasciate da pensili e credenze. A terra il pavimento era coperto da un sottile strato di terriccio. Proseguirono in salone. C'era un divano senza cuscini con la stoffa dello schienale strappata. Aprirono la finestra, poi Brizio fece scattare le stecche della persiana per guardare fuori. «Niente, c'è la siepe che copre... dobbiamo andare al piano di sopra» disse.

Le scale partivano dall'ingresso. Il corrimano era di ferro battuto ricoperto di polvere, dopo una doppia rampa si ritrovarono al piano di sopra. Entrarono nella prima stanza a destra. La porta era tappezzata di adesivi. «Genius at work», «Vietato fumare», «Chi entra lo fa a suo rischio e pericolo». C'era la carta da parati a fiori sulla quale erano colate gocce nerastre di umidità dal soffitto.

Un poster di un gruppo musicale prendeva quasi per intero la parete opposta all'entrata. Brizio spalancò i vetri e ancora una volta mosse le stecche. Questa volta la visuale era chiara e comoda. Un operaio lavorava col martello pneumatico al pavimento del patio. Altri due muratori portavano via sacchi pieni di cocci mattonelle e pezzi di cemento armato. Un poliziotto se ne stava seduto su una sedia impagliata in mezzo al giardino poco distante dal piccolo cantiere. Sul prato curato riposava una piccola scavatrice, un Bobcat giallo che aveva già grattato l'erba del prato coi cingolati e teneva la pala dentata e arrugginita in posizione eretta e minacciosa. Non c'era traccia dei padroni di casa, forse avevano preferito evitare di assistere allo strazio della loro villetta. Brizio e Furio restarono a guardare mentre l'operaio sudava e tremava sotto le vibrazioni dell'attrezzo che alzava polvere e scuoteva il terreno.

«Quanto dobbiamo stare?».

«Finché non arrivano alla terra...».

«E quando l'hanno trovato?».

«Nun ce vojo manco pensa', Furio».

Furio si staccò dalla finestra. «Ma dopo sei anni che ci sarà rimasto?».

«Lo scheletro sicuro... a meno che non gli hanno colato il cemento addosso e allora per tirarlo fuori ci metteranno giorni».

«Speriamo che è andata così».

Poi l'operaio posò il martello pneumatico. Fece un cenno all'agente, afferrò una pala e cominciò a togliere terra. Il poliziotto si alzò dalla sedia per avvicinar-

si al buco e si portò la radio alla bocca. L'altro operaio abbandonò la carriola e salì a bordo del piccolo cingolato azionando la benna meccanica.
«Ci siamo» fece Furio.

«Ah!» urlò Michela Gambino entrando nella sala dei microscopi. In mano teneva un foglio di carta. «Ci siamo!».
Alberto si avvicinò. «Cosa abbiamo?».
Il sostituto consegnò il foglio a Fumagalli. «Il terriccio della rimessa ha la stessa composizione chimica» il viso del sostituto era raggiante.
«Abbiamo trovato dove si sono nascosti?».
«Esatto!».
Fumagalli controllò. «Michela, a dirti il vero non ci capisco mica tanto. Ma mi fido».
«È la prima volta che il luminare Fumagalli ammette una sconfitta!».
«Allora ti aspetto al prossimo fegato da analizzare!» rispose il patologo con un sorriso. Michela arrossì. «Non vedo l'ora... forse devo avvertire Schiavone?».
«Direi di sì».
Michela afferrò il cellulare e compose il numero. «Chi scassa?» sentì.
«Come chi scassa? Sono Michela Gambino».
«Dimmi tutto».
«Allora Rocco, il posto è quello. C'è lo stesso terriccio ritrovato nella neve, sotto le scarpe di Manetti e nella fossa di Maquignaz. In più ci sono resti di un adesivo giallo mezzo bruciato. È evidente avessero ricoperto il camion per camuffarlo».

«Ottimo lavoro, Michela».
«Tu dove sei?».
«Diciamo che non sono cazzi tuoi».
«Ricevuto. E quando torni?».
«Vedi sopra».
«Allora la comunicazione finisce qui?».
Rocco chiuse senza salutare.
Michela poggiò il cellulare. «Ma è sempre così?».
«Chi?».
«Rocco».
«A volte anche peggio. Fossi in te, Miche', non mi farei troppe domande sull'individuo. È bravo, sa fare il suo lavoro, quello che combina nel tempo libero diciamo che sono fatti suoi».
«E tu? Che combini nel tempo libero?».
«Vediamo. Ora c'è la neve allora niente passeggiate o bici, quindi cinema, libri, ogni tanto vo a Torino a sentire l'opera e a vedere il Museo Egizio. Mai stata?».
«Mai. Mi ci devi portare».
«Anche subito se vuoi».
Michela lo guardò. «Sicuro? Guarda che non scherzo».
«Secondo te sto scherzando?».
Per tutta risposta il sostituto prese il cappotto e infilò la porta. «Amunì allora».
Fumagalli la seguì sorridendo.

Rocco era seduto nell'auto e guardava la strada dell'Infernetto. Le nuvole si stavano aprendo e cedevano spazi di celeste al cielo. Coronate d'oro, lasciavano presagire l'arrivo di una bella giornata. Un'auto blu con la lucciola sul tettuccio svoltò e si avvicinò alla villetta. Scese un uomo in borghese accompagnato da un agente di polizia.

Ci siamo, pensò. L'hanno trovato. Il cuore aumentò i battiti e le gambe cominciarono a formicolare. Meglio così, si disse. Tutto sommato questo finale lo aspettava da anni. Un po' come quelli che mettono le corna alla moglie e inconsciamente fanno di tutto per farglielo sapere. Ci si svuota la coscienza pronti a pagare il dazio. Dal fondo del viale Brizio e Furio si stavano avvicinando a passo rapido. Pallidi in volto si guardavano intorno neanche avessero appena svaligiato una banca. «Ci siamo Lupa. Comincia il calvario» disse ad alta voce carezzando la cucciola che aveva percepito il nervosismo del padrone e s'era seduta con le orecchie tirate in alto pronta a captare qualsiasi rumore o onda sonora. Gli amici aprirono gli sportelli e si abbandonarono sui sedili. Rocco li guardò senza chiedere niente. Fu Brizio a parlare.

«Non hanno trovato un cazzo» disse. «Il cemento sotto la veranda era solo venti centimetri, poi hanno scavato terra per mezz'ora».

«Hanno tirato su il cestello di una vecchia lavatrice e una bambola senza capoccia. Ma di Luigi Baiocchi manco un femore» chiarì Furio.

«Come è possibile?».

«E questo non lo sappiamo, ma ti assicuro che lì c'è solo terra e se continuano a scava' capace che trovano pure l'acqua». Brizio gli mollò una pacca sulla spalla. «Puoi respirare ora».

Rocco poggiò la fronte sul volante e chiuse gli occhi.

Il cuore continuava a battere veloce, ma riuscì a prendere aria e a svuotare i polmoni.
«Esci pulito» fece Furio.
«Non ci posso credere. Luigi Baiocchi non è lì sotto. Ce l'ho messo io!» protestò.
«Ce l'avrai pure messo, ma qualcuno l'ha tolto». Brizio si accese una sigaretta.
«E chi? Quando? E soprattutto perché?».
«Questo non te lo so dire» l'amico sputò il fumo fuori dal finestrino, «ma i fatti stanno così. Per la cronaca Enzo Baiocchi ha detto una bugia al tuo magistrato, e finalmente 'sta storia si chiude qui. Ora giocatela bene quando torni ad Aosta».
«A Rocco, ma davero te ne saresti andato in Giamaica?».
«A Furio, ma che cazzo ne so?».
Scoppiarono a ridere tutti e tre. «Me pareva una cosa impossibile».
«Pure a me».
«E poi in Giamaica a fare che?» chiese Brizio.
«Te saresti fumato un'isola! A proposito, quasi mi scordavo». Furio si mise la mano in tasca e tirò fuori un pacchetto incellofanato. «Questa è ottima. Con gli auguri degli amici tuoi». Aprì il portaoggetti e ci nascose la marijuana.
«Cioè tu vai a spasso col sacchetto di maria co' tutti 'sti sbirri in giro?» fece Rocco.
«Strano ve'?» rispose l'amico sorridendo. «Soprattutto se pensi che l'ho appena regalato a un vicequestore».

«In Giamaica...» fece Brizio scuotendo la testa. «Rocco in Giamaica... non ci ho mai creduto».

«E che dovevo fa'? Famme arresta'?».

«'Nzia mai!».

«Qualcuno deve andare a dare la notizia a Seba» propose Brizio.

«Ci vado io» disse Rocco.

«Sì, ma stasera festeggiamo tutti e tre. Non me ne frega niente, voglio le ostriche, lo champagne e un paio di bielorusse».

«E Stella?» domandò Rocco.

«Stella te mette sotto al porticato e butta il cemento, senti a me!» disse Furio.

«Infatti ho detto due bielorusse. Per voi. Io sto a posto così!».

«Vigliacco!».

«Vai Rocco, accenni 'sto catorcio e torniamo a Roma».

«Rocco mio, ancora?».

«Sora Leti', non m'apre!».

«Mannaggia...». La vecchina rientrò in casa. Poco dopo il portone si aprì. Rocco fece la prima rampa di scale e trovò sora Letizia ad aspettarlo sulla porta come sempre. «Certo che Sebastiano è capoccione. Mo' devi riscavalca' il terrazzetto?».

«È importante, gli devo parlare...». Rocco entrò in casa. «Al telefono non mi risponde, non mi apre, mi dica come faccio».

«Uè Rocco!» un urlo dalla cucina.

«Vai, salutalo» fece la donna e Rocco si affacciò. «Sor Sabatino, come sta?».

L'uomo si alzò dalla sedia e andò incontro a Schiavone. Lo abbracciò forte. Gli arrivava al petto. «Mannaggia sei uguale a papà» gli disse carezzandogli il viso con tutte e due le mani. «Ma com'è? Sei te che cresci o sono io che me sto a restringe?».

«Non lo so Sabati', io crescere non cresco più».

«Vieni, siediti, prenditi un caffè. Letizia ha fatto pure la crostata».

«Ci ha da fa'!» intervenne la moglie. «Deve anna' su da Sebastiano che non gli apre».

«E come fai?».

«Come sempre, sor Sabati', passo dal terrazzetto».

L'uomo scoppiò a ridere.

«Ormai è un'abitudine» disse Letizia. «Quell'orso nun je apre!».

«Aspetta Rocco, ci ho una cosa pe' te, te la volevo dare da tempo». Uscì dalla cucina. Rocco guardò la vecchina che sorrideva. «Che mi deve dare?».

«Boh...».

Sabatino rientrò. Teneva in mano una fotografia. «Tieni».

Rocco la guardò. C'erano Sabatino e suo padre davanti alla tipografia di via Manara. «L'abbiamo fatta il giorno che tuo padre aprì. Eravamo giovani, eh?».

Rocco si perse a osservare il viso di suo padre. Poco più che ventenne, i capelli scuri e pettinati all'indietro, una camicia bianca e un sorriso che si vede non era abituato a mostrare. Ora che ci pensava lui non aveva mai visto sorridere suo padre, solo all'ospedale, quando se ne stava andando e gli aveva detto: «Rocco, mo' il maschio de casa sei tu» e lui era scoppiato a piangere.

«Avevamo tutta la vita davanti, Rocco mio... Lo sai? Mo' sei più vecchio di tuo padre».

«È vero... l'ho superato. Lo sa? Non ho manco una foto di papà».

«E mo' ce l'hai. Guarda bene. Che vedi davanti al fruttarolo?».

Rocco osservò. Una bicicletta guidata da un bambino di poco più di sei anni. «Sei tu quello sulla bici».

Era lui. Se la ricordava la bicicletta Atala, rossa con le gomme bianche. L'aveva usata fino alla terza elementare, poi era troppo piccola e se la prese suo cugino. «Sono io...» disse. «Sor Sabati', grazie per questa fotografia, m'ha fatto un bellissimo regalo».

L'uomo aveva i lucciconi agli occhi. «Mbè, mo' vai su da Sebastiano, io devo uscire» e senza stringergli la mano si voltò e lasciò la cucina.

«E dove deve andare?» chiese Rocco a sora Letizia.

«Sabatino è così, Rocco. Non je piace fasse vede' che piange. Mo' si fa un giro, magari incontra qualche gatto randagio come lui, si fa due chiacchiere e gli passa. Vieni, andiamo va'...».

Rapido scavalcò la ringhiera, si aggrappò al terrazzo di Sebastiano e si tirò su.

«Ormai lo fai a occhi chiusi!» disse sora Letizia ridendo.

Bussò al vetro della finestra. Aspettò. Bussò ancora. «Mannaggia...».

«Che c'è?» fece la donna dal balconcino del piano di sotto. Rocco si sporse: «Non lo so, non risponde».

«Magari è al bagno. Aribussa».

Rocco ribussò con le nocche sul vetro e attese mezzo minuto. «Seba? Sebastiano?». Si affacciò di nuovo. «Niente sora Leti', non risponde».

«E com'è possibile. Madonna, non è che s'è inteso male? Usci' non può uscire, no?».

«Io entro!» fece Rocco e tirò fuori il coltellino. Armeggiò intorno alla finestra che si aprì. Nessuno in salone, andò in camera da letto. «Seba?». Vuota anche quella. Il bagno aveva la porta spalancata, nella stanza degli ospiti c'era il computer ancora acceso. Solo quando rientrò in salone se ne accorse. Sul tavolo c'era un foglio di carta con un messaggio.

«Stavolta non mi venire a cercare!».

Brizio accartocciò il biglietto. «Stronzo...» ringhiò. «E adesso?».

Rocco allargò le braccia. Furio schiacciò con forza la sigaretta nel posacenere d'argento. «Questo è fuori di testa!». Si alzò trascinando la sedia. «Ma dico io...». Rocco appoggiato al vetro della porta-finestra a braccia conserte guardava i due amici e non sapeva che dire.

«Dove lo andiamo a cercare?».

«Non possiamo, Furio» disse Brizio. «Da quanto se n'è andato secondo te?».

Rocco guardò fuori dalla finestra del terrazzo di Furio. Le nuvole spazzate via avevano lasciato un cielo turchese che il sole sulla via del tramonto stava tingendo di arancione. «Non ne ho idea. Il computer era acceso. Sul monitor c'era il salvaschermo».

«Cosa cercava?».

«Non lo so, non l'ho guardato». Rocco prese dalla tasca un mazzo di chiavi e le lanciò a Brizio. «Sono i doppioni della casa di Seba, vacci a dare un'occhiata. Io devo rientrare».

«Ma perché uno che gli mancano pochi mesi di domiciliari scappa?» chiese Furio. «Dice, ti devi fare sei anni, lo posso pure capire, ma a Seba quanto restava?».

«A giugno era finita, più o meno» rispose Brizio.

«Tiè, manco sei mesi! Rocco, che rischia Seba?».

«Da uno a tre anni... se si mette a usare armi diventano sei».

«Puttana della miseria» mormorò Brizio tenendosi la testa con le mani. «Ha sbroccato proprio».

Aveva la sensazione di stare in macchina da ore, invece aveva appena superato Firenze. I fari dei veicoli gli pizzicavano gli occhi e le palpebre si facevano pesanti.

Era distrutto. Non da una sana stanchezza fisica, di quelle che si provano da ragazzi dopo un pomeriggio di sport e che una dormita di nove ore basta per togliersela di dosso, ma una stanchezza che dipendeva dalle troppe emozioni, dall'ansia accumulata su un corpo acciaccato: coltellate nella zona lombare a ogni movimento, il cervello che continuava a camminare a tentoni senza una meta, i muscoli delle braccia pesanti, le gambe dure come bastoni di quercia, solo premere l'acceleratore gli causava dolore al tibiale anteriore. La cervicale invece pareva gliel'avessero fissata con i bulloni e ogni tentativo di sciogliere le articolazioni provocava solo stilettate fredde alle tempie e lungo la colonna vertebrale. Il tutto poi condito dall'adrenalina che aveva impregnato l'abitacolo dell'auto del suo afrore pungente e bestiale.

Così ad Aosta non ci arrivo, pensò. Dov'era Sebastiano? Solo una ragione avrebbe smosso l'orso dalla tana, l'avrebbe risvegliato dal letargo coatto. E quel motivo, per quanto ne sapeva lui, era a Udine in qualche carcere o casa di appoggio della questura. Lottava con le palpebre, inutilmente, forse un caffè avrebbe aiutato. Magari doppio, pensò. La prossima stazione era a cinque chilometri. Si sarebbe fermato. Lupa doveva almeno bere e fare pipì anche se da come dormiva sembrava non fosse interessata a nient'altro.

«Mi dai il cambio alla guida, lupacchio'?». Quella sbatté la coda senza aprire gli occhi. «Beata te...» le disse, perché almeno lei si sentiva al sicuro. Questo invidiava ai cani, sentirsi al sicuro nel loro angolo. Può essere un monolocale in periferia come un castello della Loira a loro non interessa. Pensiero basico, fatto di più e di meno. C'è la pappa, più. Non c'è acqua, meno. Si corre nel prato, più. Non si corre, meno. C'è il padrone, più più più. Nero e bianco senza grigi e zone oscure. Basta avere accanto il capo, l'alfa del branco, e sono a posto, al sicuro. In questo lui e Lupa si somigliavano. Lui il capo, il suo riferimento, l'aveva perduto da anni e non si sarebbe più sentito al sicuro. Mise la freccia ed entrò nella stazione di servizio. «Che palle» disse. Era un autogrill a ponte. Rocco odiava gli autogrill a ponte. Innanzitutto erano inspiegabilmente più affollati degli altri. Questo significava fila per pagare, fila per prendere il caffè, solitamente una ciofeca, i bambini urlanti e una puzza di toast bruciacchiati mista a profumi dolciastri messi sul mercato da qualche sarto affetto da anosmia. Poi c'erano le scale, scomode e fastidiose, e infine il labirinto del consumatore bulimico. Per prima cosa passò davanti al solito frigorifero pieno di prosciutti pepati, una volta sola ebbe il coraggio di comprarne uno insieme a Furio e dovettero bere acqua per 12 ore consecutive; superò due chilometri di giocattoli per bambini, seicento metri di cioccolate, un campo di calcio di crackers e patatine e finalmente scorse la silhouette della cassa sommersa da un numero sproporzionato di uomini tutti con la pancia a cocomero sopra la cintola che attendevano ansiosi il proprio turno. Dopo dieci minuti comprò un caffè, due bottigliette d'acqua e un panino Positano pagando come se fosse ai Tre Scalini in piazza Navona. Per arrivare al banco invece ci voleva una certa praticaccia per evitare i cesti con le offerte dei cd a cinque euro. Spesso si era chiesto chi comprasse i successi di Fausto Papetti, scomparso ormai da anni, o l'album unplugged di Toto Cutugno sulla Piazza Rossa. Grande fu la sorpresa quando vide una donna di neanche quarant'anni prelevare dal cassone la *Collection Or* di Joe Dassin.

Con il panino e l'acqua nella busta di carta aspettava il caffè. Colpa del vociare e della musica che usciva dai nove monitor sintonizzati su un canale radio, percepì l'inno alla gioia del suo telefonino solo al sesto squillo. Afferrò il cellulare nel momento in cui il barman sbatté sgraziato la tazzina sul piattino. Era un numero sconosciuto. Odiava i numeri sconosciuti. Spesso erano forieri di tentativi di vendita di qualche prodotto o abbonamento telefonico. «Pronto?» si mise un dito nell'orecchio libero. «Pronto? Chi è?». Nessuna voce, nessun rumore. Chiuse la comunicazione e tracannò il caffè che sapeva di liquirizia vecchia. Con una smorfia abbandonò la tazzina e guadagnò l'uscita dopo aver superato ancora scaffali di sottaceti e cataste di pasta in comode confezioni da 24 chili. Appena fuori il cellulare riprese a suonare. «E porca puttana!» ringhiò. Con qualche difficoltà lo estrasse dalla tasca del loden. Ancora numero sconosciuto. «Si può sapere chi è?».

«Rocco...» una voce lontana, di donna.

«Sono io, chi è?». Fermo sulle scale mentre altri clienti lo superavano diretti alle loro auto, guardava le pompe di benzina illuminate ma l'attenzione era concentrata su quella voce flebile.

«Sono... Caterina...».

Gli cadde un sasso nello stomaco.

«Non attaccare, ti prego, è importante!».

Rocco prese un respiro profondo. «Aspetta allora...». A grandi passi raggiunse l'auto nel parcheggio. Finalmente dentro l'abitacolo il rumore delle auto che sfrecciavano sull'autostrada si affievolì. Girò la chiave e inserì il vivavoce direttamente nell'impianto audio dell'auto. «Ci sei ancora?».

«Sì...».

«Dimmi» disse glaciale.

Caterina si schiarì la voce: «Ascoltami, non ho tanto tempo».

«Se chiami per sapere se ho letto la lettera sappi che l'ho buttata nella tazza del cesso».

«No. Non è per quello...».

Guardava i neon azzurrognoli sui lampioni e le luci colorate del distributore. Un'auto con una famiglia lo superò lentamente. Un bimbo dal sedile di dietro gli sparò con il pollice e l'indice. Il cielo era nero.

«Non dovrei neanche chiamarti, ma è bene che tu lo sappia».

«Vai al dunque».

«Enzo Baiocchi è scomparso».

Rocco si morse il labbro. «E perché me lo dici?».

«Perché ho paura».

Trattenne una risata fra i denti. «E di che?».

«Per te...».

«Ma vaffanculo Caterina».

«Dico sul serio. Io non...» la comunicazione si interruppe. Nelle casse dello stereo dell'auto percepiva un rumore lontano, come di acqua scrosciante. O forse era vento.

«Ci sei ancora Rocco?».

«Io sono qui. Tu dove sei?».

Caterina dribblò la domanda. «È scappato ieri. Si sono perse le tracce. Stai in guardia, Rocco».

«Pensi che mi rimetta dietro a quel pezzo di merda? Vuoi che ti comunichi i miei spostamenti così li puoi raccontare al tuo capo? A proposito, chi è il tuo capo?».

«Stai con gli occhi aperti, per favore».

«Ha un Rolex e fuma le Dunhill. Conosci il nome?».

«Stanne fuori, fatti un favore e fallo anche a me. Spero un giorno di poterti raccontare come stanno le cose».

«Sì brava, un giorno me le racconti. Hai altro da dirmi oppure finisce qui?».

«Finisce qui». Sparì la voce e il rumore di fondo. Caterina aveva chiuso.

«Ma vaffanculo...» mormorò. Stava per accendere la macchina, poi decise che prima doveva chiamare Brizio. Ricordò che gli aveva dato un numero segreto. Uscì dall'auto e si avvicinò a due ragazzi, un biondino coi capelli rasati e uno coi capelli rasta che se ne tornavano alla loro auto con due bottiglie di birra e un sacchetto di panini.

«Vicequestore Schiavone» disse mostrando il tesserino. Quelli sbiancarono.

«Che... che abbiamo fatto?».

«Prestatemi il cellulare, subito!».

Quello coi dreadlock glielo passò. «Guardi dottore che la birra la bevo solo io che non guido».

«Sticazzi» fece Rocco mentre cercava il numero segreto di Brizio sul registro del suo telefono.

«Dico davvero, io...».

«Zitto!» gli disse e si allontanò. I due ragazzi si guardarono stralunati.

«Brizio, mi senti?».

«Che cazzo di numero è?».
«Me l'ha dato Peter Tosh».
«Chi?».
«Lascia perdere, allora...».
«Rocco, io non ho novità e...».
«Ce l'ho io. Baiocchi è sparito».
Sentiva l'amico respirare. «Sparito» disse Brizio a se stesso, «quindi è chiaro dov'è andato Seba».
«Direi di sì».
«Ora diventa difficile».
«No Brizio, è di una facilità impressionante».
«Cioè?».
«Ce ne freghiamo. Sia quello che sia, lasciamogli fare quello che vuole. È evaso, sta dietro a Baiocchi e se pure lo troviamo non lo convinceremo mai».
Brizio prese un respiro profondo. «Lo molliamo così?».
«Credimi, è quello che Sebastiano vuole. Solo stiamo pronti ad andare ad aiutarlo se ci chiama».
«Ricevuto. Avverto Furio».
«Stamme bene amico mio». Tornò dai ragazzi e restituì il cellulare. «Grazie, siete stati molto gentili».
«Si figuri. Possiamo fare altro?».
Rocco li guardò. «Ora vi dico una cosa che in futuro vi servirà. Se nascondete il fumo in tasca o in macchina non dovete mai spaventarvi davanti a uno sbirro, sennò quello capisce. Restate tranquilli, sorridete, il sorriso aiuta, e tenete le mani ferme. Non mettetele in tasca come avete fatto, le mani in tasca sono sinonimo di imbarazzo, e non guardatevi in giro come

se voleste capire se siete circondati. Guardate lo sbirro dritto negli occhi, placidi, sereni, fate quello che vi dice senza esagerare troppo e soprattutto non giustificatevi mai prima ancora che quello abbia formulato un'accusa. Parlate fra di voi come se fosse normale essere fermati da un poliziotto e mi raccomando, mai occhi abbagliati. È chiaro?».

«S... sì» rispose il biondino.

«Limpido» fece l'altro.

«Bene, ricordatevelo e grazie del cellulare». Si allontanò di qualche passo. Poi ci ripensò. «Ah, altra cosa. Se fumate in macchina i vestiti puzzano. E puzzano forte. L'hashish è resina, impregna i tessuti. Finestrini aperti, sempre, e cambiatevi se scendete dall'auto. Buona serata».

Risalì sulla Volvo e mise in moto. Ingranò la marcia e lento accostò alla pompa di benzina.

«Il pieno» disse all'uomo con la tuta arancione e poggiò le mani sul volante.

Non riusciva a fermare il pensiero che correva da Caterina a Enzo, da Sebastiano al cadavere sparito nelle fondamenta della veranda. C'era una spiegazione a tutto questo? Difficile trovare il filo conduttore, ammesso che ce ne fosse uno, aveva la sensazione di stare su una barca che subiva una falla nello scafo ogni tre secondi. Non faceva in tempo a tappare un buco che subito se ne apriva un altro, senza una logica, senza una sequenza preordinata. Buchi di groviera, buchi di tarli, il cui disegno è misterioso e dettato solo dall'istinto animalesco. Pagò 80 euro di gasolio e lasciò la stazione di rifornimento. Aveva tutto il viaggio fino a casa per riordinare le idee. E Caterina? Quella meritava un discorso a parte. La lettera l'aveva stracciata e buttata nel water, ma ricordava quasi ogni parola. Gli venne da sorridere al pensiero che niente nella sua vita prendeva una strada normale, diretta come l'autostrada che gli scivolava sotto le ruote. Percorsi tortuosi, pieni di ostacoli, curve, buche, interruzioni. «È tutto un casino Lupa» disse, «tutto un casino. La stronza chiama, scrive una lettera e pensa che tutto si aggiusti. Non si aggiusta niente, amore, lo sai? Proprio niente!». Ma al cane non confessò che la voce di Caterina era stata una carezza.

Martedì

Era l'una di notte quando rientrò in casa. Lo fece in silenzio per non disturbare il sonno dei suoi ospiti. Lupa scappò a bere e poi si lanciò in camera da letto. Rocco si avvicinò al letto di Gabriele che dormiva nel suo angolo con la lucina accesa. Sfilò il fumetto dalle mani del ragazzo e spense l'abat-jour. Le pareti di carta chiuse intorno al letto di Cecilia erano buie. Si affacciò appena tra i séparé per controllare che anche lei dormisse. Il letto era intonso. Cecilia non c'era.

«25, rouge, passe». I giocatori coi visi concentrati sul tappeto verde schioccavano frenetici le fiches che tenevano in mano. Una signora bionda carica di boccoli recuperò la vincita. Era una serata piuttosto affollata. Tutti i tavoli francesi erano pieni, anche le roulette americane. Andava il black jack e i clienti si aggiravano nella semioscurità delle stanze muti, con gli occhi cerchiati, attenti a non distrarsi, a non perdere i numeri tirati dai tavoli che controllavano. Cecilia era in piedi in seconda fila e non si decideva. In mano teneva tremila euro di plastica. Il cuore le batteva forte. Tornare là dentro era stata una prova di forza. Rivedere le luci soffuse, percepire gli odori di liquore misto a deodorante, vestiti che sapevano di fumo di sigaretta appena consumata nel dehor, i rumori della pallina che rotola, dei gettoni di plastica rastrellati, del suono attutito che facevano quando cadevano sul tappeto. Gli occhi degli altri giocatori erano stati i suoi, cerchiati, scuri, persi in pensieri complessi quanto inutili. Non doveva tornarci, aveva la sensazione di centinaia di sguardi puntati addosso, anche se nessuno la considerava, ognuno chiuso nelle proprie logiche complicate. La roulette era la sola divinità che tutti adoravano, alla quale tutti si prostravano e adulavano nei loro calcoli e nelle piccole manie. Riconobbe il tizio che non usava mai la mano sinistra nelle puntate, la donna che si aggrappava alla sua collana a ogni tiro di pallina, c'era il cinese che si toccava sempre il braccialetto pieno di ninnoli. Armi spuntate, gesti apotropaici inutili, la ruota rossa e nera era una voragine, la dea che richiedeva sangue e sacrifici sul bel tappeto verde illuminato dalle alogene. Eppure tutto quello le mancava. Sentiva le gambe tremare, guardava le fiches colorate che teneva impilate nelle mani. Aveva deciso per quel tavolo. La signora coi boccoli cedette il posto.

Ora o mai più.

Si infilò rapida, prese la sedia e poggiò i gettoni sul tappeto. Conosceva il croupier, quello coi baffoni che i giocatori abituali chiamavano Allosanfant, che le diede il benvenuto con un sorriso. La salivazione si azzerò.

«Fait vos jeux».

Doveva farcela. I 35.000 euro che Rocco le aveva regalato non bastavano. Alla banca ne servivano molti di più. Prese un respiro, calmò i tremori. Tutto in una botta, se va lo sentirai subito, se gira male alzi i tacchi e torni a casa, si disse. Ora! «Cinquecento, nero» e depositò i gettoni.

«Rien ne va plus» la pallina saltò, volteggiò, sembrò addirittura voler uscire dal cerchio magico, poi un paio di rimbalzi e si fermò.

«4, noir, manque».

Preso!, le disse una voce dentro. Preso, porca miseria, preso! Il croupier le allungò cinque gettoni da cento. Guardò il piccolo mucchio di fiches mentre Allosanfant rastrellava, ripuliva, consegnava. Stava per allungare le mani per prendere il bottino, ma qualcosa le fermò i muscoli del braccio. No, si disse, e lasciò la vincita. La ruota girava, i giocatori si sporgevano sul tavolo lasciando soldi seguendo le loro strategie. Cecilia invece era una statua. Concentrata guardava la sua nuova puntata sul nero.

«Fait vos jeux».

Mille euro sul tavolo. Tondi tondi, uno stipendio. E sorrise. Da quando buttava le sue ore appollaiata sul tavolo da gioco era la prima volta che dava valore a quei dischi di plastica. Per lei non erano mai stati soldi, erano piastrine che servivano a scommettere sul destino, vincere o perdere quando solo una pallina rimbalzante avrebbe dato il responso finale.

«Rien ne va plus».

Ancora la sfera bianca che correva in circolo per poi abbassarsi, come un ciclista in un velodromo pronto allo scatto, cozzò con le finestrelle, rimbalzò di casella in casella, poi si fermò.

«24, noir, passe».

Nero! Preso! Ancora preso, si disse, e serrò i pugni. Non aveva più saliva, avrebbe pagato cento euro un bicchiere d'acqua. Ma da lì non si sarebbe mossa. Il croupier allungò la vincita, dieci pezzi da cento euro. E fanno duemila, si disse. Con due giri, pensò, ho guadagnato uno stipendio. Ma non c'era da distrarsi, qualche giorno prima li avrebbe ripresi e distribuiti sul tappeto alla caccia di cavalli orfanelli e dozzine. Prima. Adesso era lì per un motivo solo, non doveva giocare, doveva vincere. Che è tutt'altra cosa. Lasciò la puntata sul nero. Il croupier la guardò e aggrottò un poco le sopracciglia. «Che sta facendo?» sembrava dirle, «se le prenda». Ma Cecilia non si mosse.

«Fait vos jeux».

Decise che a quel giro avrebbe tenuto gli occhi chiusi aspettando che fosse la voce del croupier a svelarle la verità. Si concentrò sui suoni. Il chiacchiericcio, qualche risata da un altro tavolo, la plastica dei gettoni, poi la pallina che rimbalzava.

«15, noir, manque».

Qualcuno fece un piccolo applauso. Cecilia riaprì gli occhi. Dall'altra parte del tavolo un uomo anziano si congratulò con un leggero inchino.

«A lei!» disse Allosanfant, al secolo Gino Villermoz, depositando la vincita su quella precedente.

Quattromila euro. Tre neri consecutivi. Non sfidare troppo la sorte Cecilia, si disse, se perdi perdi tutto. Hai fatto tre puntate, ti è andata bene, ora stacca. Torna a casa. Si morse le labbra. E che ci torno a fare? Quattromila euro. Guardò il giocatore anziano che le sorrideva, la invitava a proseguire. Facile, non sono soldi suoi, che ci vuole?, si disse.

«Rien ne va plus».

Non si era accorta che la puntata di quattromila era rimasta sul tavolo, la pallina già rotolava, e ormai non li poteva più togliere. Quattromila euro, sempre sul nero. Deglutì un paio di volte. Il giocatore davanti a lei le fece l'occhiolino proprio nel momento in cui Allosanfant decretò: «10, noir, manque».

Ci fu un «Oooh» di tutto il tavolo. Il croupier scuoteva la testa mentre contava la sua vincita. Ottomila euro. Il giocatore anziano accennò a batterle ancora le mani, ma senza fare rumore. A Cecilia sembrò un gesto d'altri tempi.

Quattro volte nero di seguito, niente male.

È la tua serata.

Un controllore di gioco si era avvicinato al tavolo. Osservava distratto i giocatori ma un'occhiata veloce a Cecilia la diede. Rassicurato poi si allontanò. Le sudavano le mani ma non era più spaventata. Sentiva la testa leggera, come dopo tre bicchieri di spumante, allegra, le veniva da ridere. Le gote rosse, il sangue che fluiva spinto dal cuore che aveva aumentato le pulsazioni.

È la tua serata.

Prese la vincita, la suddivise. Lasciò tremilasettecento euro sul nero, ne piazzò quattromila sulla terza colonna, le restavano trecento euro. Li mise sul 24 nero.

Il giocatore anziano imitò la sua puntata con qualche centinaio di euro e la guardò con gli occhi felici. Cecilia fece un leggero inchino col capo, come ad augurare a tutti e due buona fortuna.

«Rien ne va plus!» di nuovo la pallina, bianca e simpatica, cicciottella, in controsenso rispetto al disco. Batté su una losanga, rimbalzò sulla campana e iniziò a trotterellare sulle caselle dei numeri. Poi si fermò.

«24, noir, passe!» quasi urlò il croupier.

Il tavolo applaudì. Cecilia aveva indovinato numero colonna e colore. Si guardava intorno con gli occhi di una bambina. Il giocatore anziano alzò le braccia felice. Allosanfant le consegnò un blocco di fiches con il rastrello. Cecilia le accolse a braccia spalancate. Era un sogno, non le era mai successo, non l'aveva mai visto succedere. Eppure era toccato a lei.

Ma non bastavano. Non ancora. Sorrise al croupier, prese le fiches e ricominciò a puntare.

Stravolta, stanca come se avesse scaricato sacchi di cemento per ore, barcollava sui tacchi scendendo verso il parcheggio. C'erano solo la sua auto e una Volvo grigia. Tirò fuori le chiavi, fece scattare le quattro frecce e in quel momento dalla Volvo scese Rocco, un'apparizione peggiore di un cazzotto al plesso solare.

L'aveva scoperta.

Schiavone aveva la sigaretta in bocca. Non riusciva a vederlo in volto, la luce di un lampione alle spalle del vicequestore lo oscurava. L'aria era fredda e cercò di aumentare il passo per raggiungere l'auto. Rocco gettò la cicca, le si parò davanti e finalmente il suo viso prese luce. Era una maschera di risentimento. «Allora parliamo a vanvera?».

«Non è come credi».

«Ah no? E com'è?».

«Ti dico che non è come credi. È stata l'ultima volta e ti assicuro che non mi sono neanche divertita».

«Ma porca puttana, Cecilia!» gridò Rocco. Il fiato colorava l'aria. «Sei tornata a giocare al casinò! Ci stiamo prendendo per il culo? Avevi fatto delle promesse, avevi giurato che ce l'avresti messa tutta. Sei così debole?».

«Non mi fare la morale se non sai come stanno le cose».

«E come stanno?».

«Stanno così» infilò le mani nella borsa. Prese il portafogli e tirò fuori un assegno. Lo consegnò a Rocco che lo lesse. «Cinquantamila euro?».

«Che insieme ai tuoi trentacinquemila fanno ottantacinquemila euro. La banca sarà contenta, Rocco. E con stasera ho chiuso». Riprese l'assegno e lo rimise nel portafogli.

«Mi stai dicendo che hai vinto cinquantamila euro?».

«Puntandone all'inizio solo cinquecento...».

«E io dovrei crederti?».

«Sì, e lo sai perché? All'inizio della serata ero al settimo cielo, l'adrenalina, il rischio. Poi tutto si è afflosciato, è diventato routine. Vincevo sì, ma mi sembrava una cosa normale. Come se stessi lavorando. Nessuna emozione, nessun vuoto allo stomaco, niente. Noioso. E squallido. L'ho fatto per Gabriele e per te, perché sei un uomo generoso. Io le cose le voglio aggiustare, Rocco, e ci riuscirò» si girò verso il casinò. «E 'sto posto non mi vede più. Mai più. Lo giuro su mio figlio».

«Te lo giocheresti tuo figlio».

A Cecilia spuntarono le lacrime. «Mi hai creduto fino ad ora, perché non continui a farlo?».

«Perché mi hai sempre detto mezze verità, Cecilia. Sempre. Arturo Michelini, te lo ricordi?».

«Che razza di domande fai? Certo che lo ricordo».

«La sera dell'omicidio Favre tu eri lì e mi hai mentito. Conoscevi sia lui che la vittima e mi hai mentito... ho sudato per non metterti in mezzo ma continuavi a mentirmi».

«C'era un motivo. Io...».

«Io della tua vita non ne voglio sapere niente, non mi interessano i dettagli, non sono tuo amico, se sto qui alle tre di notte è per quel poveraccio di tuo figlio».

«Se non ti interessano i dettagli, perché mi chiedevi se avevo avuto una storia con Arturo?».

«C'era di mezzo un cadavere!» urlò Rocco. «Cosa vuoi che me ne freghi dei tuoi amanti!».

«Per amor di precisione l'amante ero io, non lui».

Schiavone strinse gli occhi. «Che intendi?».

Cecilia prese una sigaretta dalla borsa e l'accese. «Io ero l'amante di Arturo e dovevo tenere nascosta il più possibile la nostra storia, ecco perché ti ho mentito».

«Non mi risulta che quel figlio di puttana sia sposato».

«No, ma aveva una fissa, una sua collega al casinò...».

«E chi è?».

«Mai conosciuta». Ingoiò una boccata di fumo. «Facevano tutto di nascosto, la stronza credo sia sposata, non lo so. Insomma un calvario. Mi sono ridotta a pietire una scopata con un uomo neanche troppo attraente per cosa? Per il casinò?» e indicò l'edificio con un gesto della testa. «E secondo te io non voglio uscire da questo squallore?».

«Ora torniamo a casa. E non una parola con Gabriele. Sei stata a Milano per lavoro e se si sveglia e fa domande ci siamo incontrati per pura coincidenza sotto il portone. Intesi?».

«Sì...».

«Per quanto riguarda il casinò...» e indicò il palazzo alle loro spalle, «fai come vuoi Cecilia, la vita è tua, Gabriele è tuo. Io mi fermo qui».

Cecilia rientrò in macchina, accese il motore e partì a razzo. Rocco restò lì, guardò la casa da gioco, le sue luci colorate e gli impiegati che uscivano dopo una notte di lavoro.

Due ore di sonno scarse e una doccia, il caffè con la brioche da Ettore mentre il freddo sembrava aver concesso una tregua alla città. C'era troppo rumore nel bar, non riusciva a concentrarsi, e come se non bastasse vide Sandra Buccellato con un sorriso pieno di denti e un cappotto lungo fino ai piedi venire dritta verso di lui.

«Cercavo te».

«E m'hai trovato».

«Sei sparito».

«Tendo a farlo».

«Mi devi dare cinque minuti».

Rocco finì di bere il caffè e lasciò delle monete sul banco. «Andiamo» disse. Passò accanto al tavolino davanti all'entrata dal quale uscì Lupa pronta a seguire il padrone. «Devo andare in ufficio, che fai mi accompagni?».

«Passiamo da dietro, dalla cattedrale».

«Così allunghiamo».

«Meno gente, meno sguardi» e girarono a destra sotto il portico. Il cielo era bianco latte e le scarpe di Rocco erano già fradicie quando la giornalista sparò la prima domanda: «Allora, la rapina ha a che fare con l'omicidio Favre».

«Affermi o domandi?».

«Affermo».

«Sandra, ancora non lo so ma penso proprio di sì».

«Sai già chi c'è immischiato?». Rocco non rispose. «Perché Arturo Michelini, l'omicida di Favre, ha ingaggiato il miglior avvocato sulla piazza?».

Rocco continuava a tacere.

«Ha i soldi per pagare le sue parcelle? Chi c'è dietro?».

«Sento umidità nei calzini» disse il vicequestore guardandosi i piedi.

«I tuoi uomini sono andati al catasto a cercare il proprietario di un vecchio capannone vicino Arnad. Ha a che fare con la rapina?».

«L'estate è stata troppo corta quest'anno».

«E soprattutto i colpevoli sono nel casinò?».

Rocco guardò il cielo. «Non si apre... tornerà il sole secondo te?».

«Sei peggio di una spia catturata oltre confine».

«E tu peggio di un ufficiale della Stasi».

«Non mi vuoi parlare. Solo ti devo informare che se chiuderai il caso non sarai la notizia del giorno. Qualcosa di molto complicato, delicato e tipicamente italiano accadrà fra poche ore in città. Riguarda proprio il casinò di Saint-Vincent».

«Ti sbagli Sandra, sarò la notizia del giorno, e ora ti spiego perché». Rocco si fermò in mezzo alla strada. «Io non lavoro per essere la notizia del giorno, anzi a dirtela tutta io farei volentieri a meno di lavorare. La cosa enorme è vera, si bevono un sacco di persone fra casinò e Regione, si parla di un furto di milioni che dura da qualche anno, e sarai d'accordo nel dire che una rapina a un furgone per quanto? tre milioni di euro? è una sciocchezza al confronto. Invece credimi, diventerà questa la notizia del giorno. Vedi, quello che potresti scrivere è che chi è dentro il castello può rubare impunemente milioni di euro, qui come a Milano come a Roma. Chi ne è fuori invece spara, uccide, sparge sangue. Ora a dirti come la penso, darei l'ergastolo a quelli del furgone tanto quanto ai vari assessori e direttori del casinò. Ma quelli sono nel castello, amica mia, e possono prendere quello che vogliono senza neanche rimetterci la faccia. Lo vedi? Io lavoro per le briciole, per quelli che stanno fuori dalle mura. A me i castellani non li fanno manco guardare. Quindi sì, ci sarà a breve un arresto, prepara anche il pezzo, vacci giù pesante per quello che conta. Vedrai che appena metto le mani sui banditi del furgone quelli diventeranno la prima notizia e dei figli di puttana alla Regione e al casinò non se ne parlerà più. Sono politici, amici degli amici degli amici, è gente che vive accanto a te e al tuo direttore del giornale, col quale magari vanno a cena nel nuovo ristorante, portano i figli nelle stesse scuole e vi salutano per strada quando li incontrate. Assessori, presidenti, amministratori delegati non hanno la faccia degli assassini, si vestono bene e vanno dal barbiere. Non hanno il volto sfregiato, non dicono parolacce, gente perbene senza neanche il porto d'armi. Gente perbene, Sandra, che si intasca milioni di euro senza battere ciglio e senza spargere sangue. Dio o chi c'è da quelle parti ci salvi dalla gente perbene». Riprese a camminare. La giornalista lo seguì per qualche metro. «Non farmi la ramanzina. Da tempo li attacco dal giornale. E credimi, se tutto questo basterà a troncare le loro carriere sarà già un bel risultato».

«Sandra, io ce la metto tutta per chiudere la faccenda prima che scoppi il bubbone del casinò, se arrivo primo il furgone non potrà più anestetizzare l'opinione pubblica».

«Guarda che io sono arrabbiata quanto te».

«Io non sono arrabbiato, Sandra. Non me ne frega più un cazzo di tutto questo. Lavoro, altro non so fare, se avessi una bella voce canterei sulle navi da crociera, se fossi più giovane andrei a vivere in Svezia. Ma ormai sono spiaggiato qui e tiro avanti. Ora cosa posso fare per te? Io sono quasi arrivato».

«Mi avevi promesso l'esclusiva del furgone».

«E l'avrai. Solo non mi stare addosso e non rompermi troppo i coglioni. A meno che lo starmi addosso non diventi qualcosa di più di una trita metafora. In quel caso chiamami quando ti pare». Le sorrise e seguito da Lupa attraversò corso Battaglione Aosta.

«Avete lavorato benissimo in mia assenza, questo mi fa capire che posso allontanarmi più spesso dall'ufficio e con l'animo leggero». Rocco si sedette alla scrivania. Si accorse con orrore che il cassetto personale era aperto. Controllò la serratura ma non era stata forzata. L'aveva lasciato aperto. Casella in tono accusatorio guardò Antonio che imbarazzato abbassò lo sguardo. D'Intino e Deruta vicino allo schedario invece sorridevano felici. «I miei complimenti a Deruta che ha trovato il nascondiglio. Abbiamo la conferma della Gambino che avete fatto centro. A chi appartiene?».

«La proprietà era di un tizio di Arnad che però è morto anni fa senza eredi. Diciamo che al momento il bene, se vogliamo chiamarlo così, non è di nessuno» rispose Antonio.

«E questo non aiuta! Casella, hai tracce di Favre sulla rete?».

Casella scosse il capo. «Lì ancora niente, dotto'».

«Ma non ce l'abbiamo un hacker, un pischello bravo coi computer?».

Scipioni e Deruta allargarono le braccia.

«Antonio, tu hai qualcosa da dirmi sull'avvocato Greco? Dovevi seguirlo».

«Divorziato, ha due figli. L'ho seguito a studio, in piazza, chissà cosa ci facesse in piena notte in ufficio».

«E che hai scoperto?».

«Niente di che, forse ha un'amante. Una donna è venuta a prenderlo. Con la targa sono risalito al nominativo e...» infilò una mano in tasca e prese il portafogli. «Ecco, appartiene a una certa Oriana Berardi».

Rocco restò con la sigaretta in aria e un sorriso ebete. «Oriana Berardi?» disse.

«La conosce dottore?» chiese Deruta.

«E la conosco sì... Italo dov'è?» urlò. «Italo!».

«Non è ancora arrivato, dotto'» rispose D'Intino.

Rocco si alzò. «E dove cazzo sta?». Andò a prendere il loden. Uscì dalla stanza, gli agenti lo seguirono come i topi il pifferaio di Hamelin.

«Dove stiamo andando?» chiese Deruta a Ugo Casella che scosse il capo.

«Dottore, dove stiamo andando?» chiese Antonio mentre scendevano le scale.

«Oriana Berardi ha a che fare con Arturo Michelini. Questo è un pezzo importante... molto importante...» si bloccò tutto il gruppo, si assiepò sulla scala. «Quelle tre lettere, A, B e C. La B potrebbe essere Oriana Berardi».

«Cioè sarebbe invischiata nella rapina?».

«Non lo so, Antonio, però che interessi ha a incontrarsi con l'avvocato Greco?».

«Forse sono amanti?».

«Certo, o forse no».

Italo entrò dalla porta principale. «Italo, dove cazzo eri?».

L'agente guardò Rocco e i colleghi. «Da quando facciamo riunioni sulle scale?».

«Non lo so» rispose Antonio, «noi seguivamo il vicequestore».

«Sono tornato in palestra, dottor Schiavone, e una cosa l'ho scoperta. Paolo Chatrian, sappiamo dove lavora».

«Dicci un po'?».

«Fa il camionista».

Una luce si accese negli occhi di Rocco. «Ha un suo mezzo?».

«No, lavora per una società... aspetti, l'ho scritta qui... Ecco, Spedizioni Roversi».

«Grazie, Italo, perfetto. I trasporti, perché non ci ho pensato prima?». Rocco si batté il palmo della mano sulla fronte. «Lo sapevo! Ora mi ricordo dove l'avevo visto, coglione che non sono altro!». Gli agenti lo guardarono. «Forse dieci giorni fa, davanti al ristorante aspettava Guido Roversi, io mi sono stupito pensando al fatto che fosse il suo autista... il gigante con l'orecchino!».

«Chi è Guido Roversi?» chiese Deruta.

«Detto Farinet. Quello del club del '48».

«Come no» intervenne Casella. «Lo sentii come amico della vittima».

«Che vuol dire Farinet?» chiese D'Intino.

«Pare fosse un famoso falsario della zona tanti anni fa» rispose Casella.

«Quel tizio mi ha raccontato che da piccolo lui falsificava le vincite delle gomme americane, le cingomme le chiama lui. Ma soprattutto 'sto Farinet mi ha rotto i coglioni con le sue supposizioni... pensavo avesse a che fare coi riciclatori».

«Ma è quello con la moglie bona?» fece Antonio.

«Bona è un po' poco. Lada, si chiama...». Rocco continuò a scendere le scale seguito dal gruppo, al quale si unì Italo. «Le cose cominciano a chiarirsi, non trovate?».

«No» fece D'Intino.

«E questo non ci sorprende» commentò Antonio. «Cioè, lei sospetta che il camion...».

«È una pista, la prima pista seria e io non la mollo».

«Ma scusi dottore» prese la parola Italo, «Baldi aveva già indagato su Roversi giorni fa. E non era uscito niente».

«Vero. Ma allora pensavamo al riciclaggio. Ora la scena è cambiata, non ti sembra? Una visita a Guido Roversi ci vuole».

«Aspetti!» disse Italo bloccando Rocco per il braccio. «Se questo tizio ha a che fare con la rapina, andandogli a fare una visita lo mettiamo in allarme».

«E allora?».

«E allora dobbiamo bluffare».

Rocco guardò Italo severo. «A te piace bluffare?».

Il poliziotto alzò le spalle. «No, preferisco andare al piatto quando ho un punto, ma noi il punto non l'abbiamo. Sarebbe meglio trovare un motivo per andare lì».

«Hai ragione Italo, bravo».

«Le viene in mente niente?».

Rocco sorrise. «Sì, il metodo mio. Antonio e Italo, tenetevi pronti per stanotte». Italo alzò gli occhi al cielo. Poi Rocco si avvicinò all'orecchio dell'agente e gli sussurrò: «A proposito di bluff, scopro che ti sei rimesso a giocare e ti prendo a calci in culo fino a casa».

«Abito qui dietro».

«Sì, ma facciamo il giro largo» e si avviò.

«Dotto', ma dove stiamo andando?».

«Io a fare colazione che ho una fame che non vi vedo, voi non lo so» e infilò l'uscita.

«Non posso! Non ora! Non oggi!». Baldi sbatté la mano sulla scrivania e la cornice con la foto di sua moglie se ne andò sul pavimento, si ribaltò il portapenne e un paio di fogli volarono per atterrare come alianti sul tappeto che Lupa stava mordicchiando. «Eppure, Schiavone, eravamo d'accordo. Lei sa cosa sta succedendo al casinò».

«E allora? Li lascio a piede libero finché non vi decidete a darvi da fare con la vostra inchiesta?».

«È oggi» disse il magistrato poggiando le nocche delle mani sul tavolo. «Lei si faccia da parte per 24 ore e poi chiudiamo la storia del furgone».

«Del doppio omicidio aggiungerei».

«Del doppio?».

«Dottor Baldi, gli assassini della guardia giurata sono i mandanti dell'omicidio Favre».

«Ancora...».

«E sempre. Basta Lupa!». Il cane fermò il lavoro di mandibole sul finto persiano.

«Lei ha le prove?».

«So chi arrestare e perché».

«E come c'entri Favre in tutta la storia della rapina? L'ha scoperto?».

«Ancora no, ma conto...».

Un sorriso ferino si dipinse sul volto del magistrato. «Allora lei trovi quelle, io le prometto di chiudere il caso. Ma non oggi». Lo guardò dritto negli occhi.

«Siamo d'accordo. Le farò avere tutto. Lupa?». Rocco si alzò dalla poltroncina e aprì la porta dell'ufficio.

«Aspetti Schiavone. C'è una cosa per lei, ma non mi ha fatto parlare. Lei mi aveva chiesto di dare un'occhiata alla Walliser Kantonalbank».

«Sì certo, la carta di credito di Michelini».

«A volte la fortuna aiuta...». Aprì un cassetto e lesse l'appunto. «Ho scoperto che c'è un conto, a Zermatt, cui risponde quella carta di credito e soprattutto una bella sorpresa».

«Mi dica».

«Ricorderà certo il famoso scontrino con le lettere A, B e C e quel nome strambo sul retro?».

«Certo, ce l'ho nel portafogli».

«Il nome strambo sul retro è Ljuba e Sokobanjska è una strada di Belgrado. Lei mi chiederà: come ci è arrivato?».

«Infatti glielo chiedo».

«Semplice, il conto è intestato a tale Ljuba Simović che risiede appunto a Belgrado in quella strada: Sokobanjska. Lei sospetta che su quel conto siano finiti i soldi della rapina?».

Rocco si passò le mani fra i capelli.

«Bene, molto bene... dai suoi occhi vedo che ha ancora da lavorare... Mi raccomando, segua il suo fiuto e non si faccia sfuggire la preda!».

«Su questo non dubiti. Ma a proposito di prede, ho saputo che il vostro protetto, Baiocchi, s'è dato alla fuga».

Baldi crollò seduto sulla sua poltrona. «È così...».

«Che peccato, proprio ora che era riuscito a stabilire un contatto con quello stinco di santo. L'ha poi trovato il cadavere del fratello, dov'era? Nelle fondamenta di un villino vicino al mare?».

Baldi recuperò la fotografia della moglie e la posizionò con una certa precisione alla sua sinistra. «No, non l'abbiamo trovato» e finalmente guardò il vicequestore. «Cos'è che vuole ora, le mie scuse?».

«Francamente con le sue scuse mi ci pulisco il culo, dottor Baldi. Non contate su di me per ritrovarlo, stavolta me ne starò tranquillo a casa a lavorare e a contare i giorni che mancano per andare via da questo posto di merda».

Baldi sembrò non aver accusato il colpo. «Magari sarà il suo amico, quel Sebastiano Cecchetti, a trovarlo, dal momento che anche lui pare sia uccel di bosco. Che dice?».

Rocco allargò le braccia. «Dico: e sticazzi! Continuate a braccare la preda anche voi, magari sarete più fortunati» e uscì senza aggiungere altro.

Come il magistrato anche Rocco non riusciva a dare una risposta alla sparizione di quel corpo. Quella notte di luglio, sei anni prima, c'erano lui e Sebastiano nella vecchia fabbrica abbandonata. Lui e l'amico scavando avevano gettato il cadavere di Luigi proprio sotto il villino. Cos'era successo? Erano tre le case in costruzione, ricordava, ed era certo che l'avessero sepolto nella terza, dove Luigi Baiocchi, l'infame, si era nascosto dopo aver sparato a Marina, davanti alla gelateria.

E allora?

Qualcuno aveva tolto il corpo. Ma chi? E perché? E Sebastiano spiato in casa? C'erano davvero microfoni nella sua abitazione? Chi li aveva piazzati, sempre ammesso che ci fossero? Brizio e Furio non erano d'aiuto, nessuno poteva essere d'aiuto, restava un mistero al quale però doveva dare una risposta. Che fosse Caterina il fulcro di tutto questo? O meglio, l'uomo con il Rolex per cui lei lavorava? Non tornava neanche quell'ipotesi. Lo avevano braccato, spiato, inseguito, perché togliergli le castagne dal fuoco facendo sparire il corpo di Luigi Baiocchi? La notte quasi in bianco poi non aiutava. Fermarsi da Ettore per un altro caffè era una necessità. Fu l'inno alla gioia a interrompere gli ingranaggi dei suoi pensieri riportandolo ad Aosta in una fredda mattina di dicembre. «Chi è?».

«Sono il tuo magistrato preferito!».

«Sasà...».

«Indovina dove sono?».

«Boh...».

«Sto a piazza del Pantheon, seduto al sole grazie alla tramontana che ha ripulito tutto e mi sto mangiando due tramezzini tonno e carciofini e uovo e pomodoro».

«Alla salute».

«Che tempo fa da te?».

Rocco alzò gli occhi: «Il cielo è coperto e il sole è un disco bianco che fa una luce tipo piscio e c'è neve un po' dovunque».

«E daje così, Schiavone!» e il vecchio magistrato scoppiò a ridere. «Allora, ti chiamo perché ho da darti una notizia... lo sai che il Rolex è stata la svolta?».

«In che senso?».

«L'anno scorso, premio agli Interni, lo hanno ricevuto in due. Il capo dello Sco, ma è una donna bellissima, e poi una tua vecchia conoscenza, diciamo uno cui stai sullo stomaco dai tempi del tuo trasferimento».

«Capirai, una lista».

«Il peggiore che ti viene in mente?».

Rocco ci pensò su. «Non mi dire... Mastrodomenico?».

«E il concorrente ha vinto il montepremi!» gridò Sasà. «Proprio lui, amico mio. Ora mi domando, ma che gli hai combinato a 'sto Mastrodomenico perché ce l'abbia tanto con te?».

«E che ne so? Insisteva per farmi radiare ai tempi del figlio di Borghetti Ansaldo, non so se ricordi».

«E ricordo sì. Lo stupratore che hai ammazzato di botte».

«Da allora Mastrodomenico ce l'ha messa tutta per farmelo a strisce».

«Come vuoi che mi comporti, scavo?».

«Sasà, se hai tempo e voglia, ma vedi che è un campo minato».

«E che mi possono fa'? Mandarmi in pensione anticipata? Stammi bene Rocco, Mado', 'sto tramezzino è la fine del mondo».

«Strozzatici!» e chiuse la telefonata.

Si accese una sigaretta.

Caterina lavorava per quel dirigente, Mastrodomenico. Non ci sarebbe arrivato mai. Allora Aosta non era stata una destinazione casuale, forse quello aveva brigato per continuare a tenerlo sotto controllo e poterglíela far pagare alla prima occasione. Restava da capire il motivo di quell'odio. Labirinti romani? Salotti di potere? *Do ut des* con il sottosegretario? Tutte supposizioni che lo convincevano per metà. E con i piedi congelati e le tempie martellanti rientrò in ufficio. Lupa scattò subito in avanti e si perse per i corridoi. Italo invece lo aspettava davanti alla portineria. «Perché mi hai detto di tenermi pronto stanotte?».

«A che ti riferisci?».

«Abbiamo parlato della ditta di Roversi e mi hai detto: stanotte. Che vuol dire?».

«La solita, Italo. Appena fa buio andiamo a dare un'occhiata al posto. Tutto qui. Non te la senti? Hai di meglio da fare?».

«Per sentirmela me la sento ma ti confesso che vorrei rischiare la galera per qualcosa di più redditizio».

Il vicequestore si fermò sulle scale. «Ci risiamo? Sei di nuovo nei guai?».

«No, Rocco, non è quello, è che stare sempre con le pezze al culo mi ha stancato».

«Dottore!». Era Antonio Scipioni che arrivava di corsa dal corridoio del primo piano. Evitò un paio di agenti che stanziavano in mezzo al passaggio e raggiunti i colleghi abbassò il volume della voce: «Forse è meglio se vieni nella stanza a dare un'occhiata alla televisione...».

Erano tutti lì a guardare il notiziario, perfino il questore, seduto in prima fila. In primo piano un giornalista, microfono in mano, alle sue spalle il palazzo della Regione. «Gli avvisi sono stati consegnati dagli uomini del nucleo polizia economico-finanziaria e dalla Guardia di Finanza di Aosta ai diretti interessati proprio stamattina qui in Regione. Le indagini durate mesi hanno rilevato una truffa ai danni della Regione di circa 140 milioni di euro. Le ipotesi di reato per cinque assessori e tre membri della direzione del casinò e due sindaci sono falso in bilancio, truffa aggravata e reiterata ai danni dello Stato e appropriazione indebita. Ma sentiamo Silvia Civiletti, della Corte dei Conti». Sul video apparve la donna, elegante, viso tirato e stanco. «In sostanza la truffa è piuttosto banale: gli amministratori hanno nascosto la condizione disastrosa del casinò, quindi si sono assicurati i finanziamenti pubblici della società finanziaria regionale che mai avrebbe erogato se avesse conosciuto la veridicità dei conti». Tornò l'immagine del giornalista. «Insomma queste persone hanno indotto in errore la Regione e quindi la collettività tutta e anche la società finanziaria per aver falsificato i bilanci... per la procura di Aosta dunque...».

Il questore si alzò. «Mi pare una bella cosa, vero?». Si avviò verso l'uscita sfregandosi le mani e solo in quel momento si accorse di Schiavone. «L'avevo avvertita che stava bollendo qualcosa di grosso in pentola».

«Porca puttana, ho fatto tardi!» ringhiò Rocco.

«Non la seguo...».

«Dicevo, dottor Costa, che mi dispiace solo siano arrivati prima loro».

«A cosa si riferisce?».

Con un cenno il vicequestore invitò il superiore a spostarsi nel corridoio. «Ora è la notizia del giorno, non crede?».

«Certo. E allora?».

«Che si smonterà subito non appena mettiamo le mani sugli autori della rapina in banca».

Costa aggrottò le sopracciglia: «Continuo a non capirla».

«Questione di poco e le porto la banda di rapinatori. Diventerà quella la notizia del giorno e dei colletti bianchi ce ne scorderemo. Insomma, per dirla tutta, ai notiziari fa più gola una rapina con un paio di morti perpetrata da fuorilegge piuttosto che una truffa blanda e anemica di 140 milioni di euro alle casse dello Stato. Questa passerà come una pratica noiosa, l'altra invece ha il fascino cinematografico, spero di essermi spiegato».

«Si è spiegato. Ma io cosa posso fare?».

«Niente. Ci tenevo a dirglielo. Ma ora che ci penso, forse sì, qualcosa può farla».

«E cioè?».

«Al momento della solita conferenza stampa tenga i toni bassi. Come se fosse ordinaria amministrazione. La cosa importante è prenderli, non strombazzarlo in giro».

«Vede...» Costa fece un respiro profondo e si guardò la punta delle scarpe, «... se un fatto non viene denunciato non esiste. E secondo lei io faccio passare il nostro lavoro in secondo piano e lascio che la tributaria si prenda le prime pagine?».

«Io credo sia più importante che la gente...».

Costa alzò la mano per fermare il vicequestore. «Quello che lei crede, mi permetta, non è rilevante. È rilevante invece che la questura di Aosta abbia chiuso un caso così intricato che ha visto già due cadaveri e un furto di 3 milioni di euro sporcare la nostra città. Non è una questione di bottino, né di morale d'accatto, neanche possiamo stilare una scala di valori sulla gravità dei reati. La rapina al furgone ha la stessa gravità della truffa degli amministratori».

«Ha ragione, ma credo che in questo momento dovremmo lasciare lo spazio e far riflettere sulla porcata che una decina di impiegati dello Stato...».

«La gente non è cretina, Schiavone».

«Dice?».

«Dico. Lasci fare a me il mio mestiere, lei faccia il suo che è quello di prendere i colpevoli».

«Di cosa ha paura? Che qualcuno alla Regione le tiri le orecchie?».

Il viso del questore si imporporò in un paio di secondi: «Faccio finta di non aver neanche sentito il commento. Non si azzardi mai più! Ora torni al suo lavoro e mi aggiorni sugli sviluppi».

Mercoledì

Il cancello di ferro che immetteva in un grosso piazzale di terra battuta nel quale erano parcheggiati tre camion rossi con la scritta «Spedizioni Roversi» era chiuso da una catena d'acciaio e illuminato da due potenti fari alogeni. Tre ombre sgattaiolarono di lato per fare il giro della recinzione.

«Ci sono cani?» chiese sottovoce Italo.

«Pare di no» rispose Antonio. «Come facciamo a entrare?».

Rocco non rispose. Seguito dai due agenti camminava lungo il perimetro per arrivare al lato opposto del piazzale dove c'erano due costruzioni prefabbricate in legno. La neve aveva ricoperto la recinzione di metallo e i tetti delle due casupole e scricchiolava sotto le scarpe dei poliziotti. Le Clarks di Schiavone avevano perso qualsiasi sembianza di calzature. Due pezze arrotolate intorno ai piedi. «Non hanno valori qui, non c'è neanche una telecamera di sorveglianza» disse il vicequestore. «Dobbiamo scavalcare dove è buio, alle spalle delle costruzioni...».

«E una volta dentro?» chiese Antonio teso e nervoso.

«Una volta dentro vediamo se c'è qualcosa di interessante...».

Italo fece un gesto assertivo con il viso al suo collega per rassicurarlo. Rocco infilò il piede nella trama di metallo della rete e si tirò su. Il rumore della grata ondeggiante riempì il silenzio della notte. Infilò il destro un po' più in alto e proseguì fino ad arrivare alla sommità. Si mise a cavalcioni, poi con due passaggi rapidi si ritrovò nel parcheggio delle Spedizioni Roversi. «Daje!» disse a Italo che subito lo imitò. Antonio attese che Pierron cadesse dall'altra parte, poi attaccò la scalata.

Erano alle spalle delle due costruzioni protetti dalle casupole nel buio più totale. «Dalla porta?» chiese Italo. Rocco saggiò la piccola finestra del retro. «No, da qui, si apre facile». Meno di dieci secondi e il lavoro del suo coltellino multiuso aveva avuto la meglio sulla serratura. Si aggrappò alla cornice dell'infisso ed entrò nel prefabbricato. Antonio guardò Italo: «Ma siamo certi che è un poliziotto?». Italo sorrise e seguì il vicequestore.

Un ufficio di una quarantina di metri quadrati con due scrivanie e due finestre che davano sul piazzale illuminato dai fari. La stufa a pellet emanava ancora calore. Le pareti di legno erano tappezzate di fotografie: camion, qualche bambino sorridente davanti a una torta di compleanno e la formazione della Juventus campionato 2006/2007. «È juventino» commentò Italo.

«No, è granata» rispose Rocco avvicinandosi alla prima scrivania.

«Perché?».

«A parte il gagliardetto sopra la libreria, non lo vedi? Quella è la formazione della Juventus quando stava in serie B... Antonio, dai un'occhiata allo schedario. Italo, attacca l'altra scrivania».

«Ci risiamo» fece Scipioni, «se non so che cazzo stiamo cercando, come lo trovo?» disse sottovoce con la voce strozzata dal nervosismo e dalla paura. «Poi qui non si vede niente!».

«Un po' di creatività, no?» rispose Rocco che già aveva aperto un cassetto e ne controllava il contenuto facendosi luce col cellulare. «Come quando avete cercato le canne nel mio scrittoio».

Nessuno dei due rispose.

«Ladri...» mormorò Rocco.

«Casella ha fatto la spia?».

«No, Antonio. Ne mancava una ed ero certo foste stati voi due. Ce lo vedete D'Intino oppure Deruta che si fuma l'erba?».

«Ci mancherebbe quella» commentò Italo.

«Rimetteteci le mani e ve le taglio».

«Ricevuto» disse Antonio. «Rocco, ma se arriva qualcuno?».

«Fallo arrivare e poi vediamo».

«Qui ho un sacco di fatture... tutte spedizioni». Antonio apriva i cassetti dello schedario. «Nomi di ditte, contabilità, niente di che...».

Rocco abbandonò la scrivania. Si avvicinò ad un armadietto con le ante di vetro pieno di faldoni.

«A occhio tutta contabilità». Italo aveva attaccato l'ultimo cassetto della scrivania. «Cosa speriamo di trovare?».

«Concentratevi su quello che sappiamo: casinò, Slovenia, Saint-Vincent, capannone abbandonato, Assovalue...» rispose Rocco scartabellando i faldoni per poi rimetterli a posto.

«Questo non si apre» fece Antonio. «L'ultimo cassetto dello schedario... sembra chiuso a chiave».

Il vicequestore si avvicinò. Prese ancora il coltellino. «Levati» e scansò Antonio con il braccio.

«Se lo forziamo capiranno che qualcuno è stato qui».

Ma Rocco non rispose. Forzò la serratura che cedette al terzo tentativo. C'era una sola busta che conteneva una carta di credito. Rocco la illuminò con il cellulare. «E ci risiamo... Walliser Kantonalbank» mormorò.

«Che significa?» chiese Antonio.

«C'è gente!» fece Italo spaventato guardando fuori dalla finestra. Un'utilitaria bianca coi fari accesi era davanti al cancello. Un uomo basso e muscoloso scese e si avvicinò al lucchetto per aprirlo.

«Che facciamo?».

«Usciamo!» suggerì ansioso Antonio.

«Rapidi!» disse Rocco e i due poliziotti scattarono verso la finestra del retro. «Voi tornate fuori, io rimetto a posto».

«Rocco, ti beccano».

«Andate!».

Rocco aveva risistemato i faldoni ancora aperti nell'armadio e accostato le ante. Andò alla prima scrivania e chiuse i cassetti. L'utilitaria entrò nel parcheggio, per un momento i fanali illuminarono con uno schiaffo l'interno dell'ufficio. Rocco corse allo schedario e rimise a posto la busta con la carta di credito.

Si occupò della serratura ma senza successo, l'aveva spaccata. Sentì i passi degli uomini sull'impiantito di legno esterno e vide le loro ombre attraverso il vetro della porta d'ingresso coperto da una piccola veneziana di plastica. Infilarono le chiavi per aprire, Rocco carponi si avventò verso il bagnetto proprio quando i due entrarono accendendo la luce dell'ufficio. Il vicequestore col fiatone si appoggiò alla porta, poi lento raggiunse la piccola finestra. Silenzioso la scavalcò uscendo fuori protetto dal buio. Accucciati a terra c'erano Antonio e Italo che lo guardavano con gli occhi spalancati. Rocco si mise l'indice davanti al naso, poi richiuse la finestra.

«Andiamo?» disse sottovoce Antonio. Rocco fece cenno di no con la testa.

«Perché?».

«A scavalcare la rete facciamo casino. Aspettiamo, qui dietro non ci vengono». Restarono lì accucciati in mezzo alla neve.

«Sei sicuro?».

«E che cazzo vengono a fare?».

«Chi sono?».

«Spegnete i cellulari e restate fermi!» ordinò Rocco.

Casella dormiva il sonno dei giusti. Aveva aspettato davanti al portone sperando di incontrare Eugenia, ma dopo mezz'ora aveva abbandonato la posta. Era salito in casa e davanti a una frittata si era visto un bellissimo film con Steven Segal che menava la gente senza sudare e scomporsi troppo. Uno come quello lì con i capelli neri e lunghi legati col codino che picchiava come un fabbro avrebbe subito rubato il cuore di Eugenia. Lui invece era vicino alla pensione e la pancia floscia sopra la cinta, i capelli radi e gli occhi cerchiati di nero sopra due borse gonfie non facevano presa sull'altro sesso. Non che in passato Casella avesse avuto chissà quali soddisfazioni. Anche quando era più magro e i capelli li aveva tutti per trovare una donna aveva sempre faticato. Il suo punto di forza era l'insistenza. Batteva sul chiodo per giorni, settimane, mesi, finché la vittima di turno cedeva per disperazione. Somigliava, Casella, a quelle truppe pezzulente del medioevo che per anni cingevano d'assedio le cittadine fortificate. Tanto che molti di loro si facevano una famiglia ai piedi di quelle torri invalicabili, altri si costruivano casa attingendo l'acqua dal fossato, altri ancora passavano direttamente dalla parte degli assediati. Insomma alla fine un premio lo rimediavano. Da mangiare, una sposa, dei nuovi parenti, pecore, mucche e galline. Tanto l'alternativa di quelle soldataglie era una vita di stenti dentro castelli bui agli ordini di qualche tiranno a mangiare zuppe di farro bere acqua di pozzo e beccarsi la peste. Così il giovane Ugo Casella sapeva che a forza di insistere qualcosa arrivava. Su cinque assedi almeno uno andava a segno. Ed era un ottimo risultato. Certo a calcolare le energie spese e i soldi investiti il guadagno non era così netto, ma era l'unica strada che poteva percorrere per arrivare alla meta. Anche con Eugenia Artaz stava usando la stessa tecnica. Appostamenti e goccia cinese, un passettino al giorno, lento e metodico, e prima o poi quella avrebbe ceduto. Dormiva, dunque, sereno mentre il respiro che grattava da qualche parte nel palato gonfiava la cassa toracica e la pancia, come un'onda di un mare tranquillo.

Cominciò in maniera appena percettibile, un mormorio come di acqua che gorgogliava cadendo su una pietra. Poi il rumore prese corpo aumentando sempre di più, sempre di più, fino a che un picco improvviso lo svegliò. Aprì gli occhi. La stanza era buia, una luce tenue, arancione penetrava dalla finestra. Le ombre dei mobili e la porta di casa erano al loro posto. Ci mise qualche secondo per captare l'origine del chiasso. Veniva dalla strada. All'inizio gli sembrò una radio accesa, un televisore. Poi comprese che si trattava di voci. Tirò via la copertina di lana, poggiò i piedi a terra e si avvicinò. Guardò in strada. Proprio sotto la sua finestra, a due metri dal portone, c'era un'auto parcheggiata in seconda fila coi fari accesi. Era un vecchio modello Fiat, forse una Duna. Riusciva a vedere solo metà del corpo del passeggero e ci mise un secondo a riconoscere la proprietaria di quella gonna rosso scuro e della giacchetta grigia di lana cotta. Era Eugenia. Parlava e si agitava. Della persona al volante distingueva una mano pelosa poggiata sullo sterzo.

Un uomo!, pensò Casella. Eugenia Artaz rientrava a notte fonda accompagnata da un uomo! Una coltellata in petto gli avrebbe fatto il solletico in confronto a quella notizia. Ma come? Allora non aveva capito? E quei sorrisi sulle scale? E il grazie del biglietto? Non significavano niente?

Il vociare era indistinto ma sostenuto, dal momento che penetrava i cristalli della Fiat Duna e il vetro della sua finestra. Casella aprì uno spiraglio. Una lama fredda gli sbatté sul viso, lì fuori si viaggiava sotto lo zero. Infilò l'orecchio fra le due ante e si mise in ascolto.

«Non ti sei mosso... sei uno... che razza di uomo?» era la voce di Eugenia.

«Ini lgrptrnpnto...» questo era l'uomo che biascicava le parole.

«... schifo! da... do... della separazione!».

Casella sorrise. Primo indizio. L'uomo si chiamava Dado. Diminutivo forse di Alessandro. Mentalmente prese l'appunto sulla targa. Domani so anche il tuo cognome, caro Dado!, pensò, orgoglioso del suo istinto investigativo.

«Se tu... come stanno... stufa stufa e arcistufa dell'andazzo che...» sempre Eugenia.

«Allora cosa... nostri figli... che... investimento per il futuro?» ormai Eugenia urlava. «Fatto!».

La mano pelosa si staccò dal volante e neanche un decimo di secondo dopo il corpo di Eugenia Artaz ebbe un sussulto. Le voci si zittirono.

«La picchia!» disse Casella.

Era troppo. Veloce andò a mettersi il primo paio di pantaloni che trovò, si infilò i calzini, le ciabatte da piscina, il giubbotto d'ordinanza e uscì di casa. Scese i gradini a due a due. Arrivato al portone lo aprì ringraziando sempre che l'avessero riparato. I fari dell'auto puntavano proprio su di lui. Meglio, un solo faro, l'altro faceva una luce smorta, cimiteriale. A grandi passi, coprendosi gli occhi e attento a non pestare le chiazze di neve, si avvicinò all'auto. La luce di cortesia illuminava i visi dei due passeggeri. Eugenia guardava davanti a sé, forse l'aveva visto uscire, Dado o chi per lui fissava l'orecchio della donna. Casella mise la mano sulla maniglia, tirò e gracchiando di ruggine e vecchiaia lo sportello si aprì. «Lei!» gridò con l'indice puntato. L'uomo alla guida si voltò di scatto. Era magro con i capelli brizzolati, un paio di baffi e una sciarpetta intorno al collo. «Come si permette? Scenda da quest'auto!» ordinò l'agente facendo un passo indietro.

«Chi è?» chiese tranquillo l'uomo alla donna.

«Il mio vicino» rispose Eugenia.

«Lei scenda da quest'automobile, adesso! Sono un agente di pubblica sicurezza, ho visto quello che ha fatto!».

L'uomo scese dall'auto. «Cosa sono, in divieto di sosta?» e sorrise beffardo.

«Sta facendo dello spirito, Dado?».

«Dado? E chi è Dado!».

Anche Eugenia scese dalla macchina: «Signor Casella, non è niente, per favore lasci perdere».

Ma Ugo Casella non la ascoltò. «Allora come si chiama?».

«Francesco Brusatti» fece quello alzando le spalle. «Perché Dado?».

«State litigando da un'ora, l'ho vista Dado Francesco o come diavolo si chiama, picchiare la signora Eugenia Artaz!».

«Se ne torni a dormire e si faccia i cazzi suoi!» rispose l'uomo tentando di rientrare in auto, ma Ugo lo afferrò per il braccio. Quello con uno scatto si voltò e lo colpì in pieno viso con un diretto secco e rapido. Casella vide un centinaio di stelline e si portò le mani al viso.

«Francesco!» urlò Eugenia. Poi l'uomo tirò un calcio cercando i testicoli dell'agente ma il colpo si schiantò su una coscia. Casella lo caricò come un bisonte e i due finirono a terra.

«Francesco! Signor Casella, la smetta!».

Il poliziotto gli era sopra. Ci vedeva poco e sentiva qualcosa di caldo bagnargli le labbra, forse era sangue. Francesco schiena a terra cercava di liberarsi di quel peso ma l'agente gli teneva ferme le mani.

«Lasciami, pezzo di merda».

Eugenia si avvicinò tentando di sciogliere quell'amplesso selvaggio. Riuscì a liberare una mano a Francesco che sferrò un altro cazzotto centrando Casella sulla tempia. Ma Ugo non sentì dolore. Gli venne in mente Steven Segal e menò due colpi in rapida sequenza sulla bocca dell'avversario, poi cominciò a stringerlo al collo. «Brutto stronzo, te ne approfitti che è una donna!».

«Francesco!» continuava a urlare Eugenia.

«Ti strozzo!».

«Lasciami, bastardo!». I denti di Francesco Brusatti erano sporchi di sangue. La faccia cominciava a diventare rossa. A mano aperta Casella mollò un ceffone talmente potente che lo schiocco rimbombò nella strada.

«Ora basta, basta!» gridava la donna. Ugo si alzò in piedi. Con il fiatone e il sangue che usciva dal naso barcollò all'indietro. «Vattene e non farti più vedere!» ingiunse a Francesco ancora schiena a terra che si toccava la bocca. Quello sputò un grumo di sangue sull'asfalto. Eugenia lo aiutò a rialzarsi. La camicia fuori dai pantaloni, i capelli spettinati, con uno strattone allontanò la donna, salì in macchina e richiuse la portiera facendola cigolare. L'auto si accese solo al terzo tentativo, poi finalmente partì e sgommando Francesco Brusatti sparì nella notte. Ugo era imbarazzato. Si rinfilò una ciabatta che aveva perduto nella colluttazione e con gli occhi bassi se ne tornò verso il portone. «Signor Casella...» lo chiamò Eugenia. Lui alzò lo sguardo. «Grazie...» gli disse. Poi si avvicinò. «Venga su da me, non può andare a casa così» e insieme rientrarono nel portone.

«Mi si stanno addormentando le gambe» mormorò Italo.

«Speriamo che non s'accorgano di niente...» disse Antonio poggiato con la schiena sulla rete di recinzione. «Io comincio a battere i denti». Dall'ufficio giungevano rumori, segno che i due erano ancora dentro.

«State qua». Rocco scivolò lungo la parete di legno della casupola.

«Dove vai?».

Ma Rocco non rispose. Girò l'angolo e sparì alla vista dei due colleghi.

Si nascose dietro una pila di pallet e osservò il piazzale. L'utilitaria bianca era parcheggiata a una decina di metri dalla casupola di legno. Un gatto tigrato lo osservava dal tetto dell'altra baracca prefabbricata. Un vento gelido e leggero s'era alzato e il cielo era coperto da una coltre di nuvole spessa. Sentì la porta della casupola aprirsi. Vide uscire per primo l'uomo basso e muscoloso. Una barba di qualche giorno nera e ispida gli copriva il viso. Aveva le mani tozze con le dita corte e le gambe leggermente arcuate. «Non lo so...» sentì. «Lo portiamo su, non ti preoccupare...». Finalmente apparve il proprietario della voce. Era Paolo Chatrian, il gigante, teneva il cellulare vicino all'orecchio e nell'altra mano un mazzo di chiavi. «Sì... certo che è così...». I due si avvicinarono alla seconda costruzione. Quello basso aprì la porta e sparì all'interno seguito a ruota da Chatrian. Rocco attese mezzo minuto. I due uscirono trasportando degli scatoloni, richiusero la porta e si avviarono verso la macchina. Caricarono i pacchi e salirono a bordo. Chatrian alla guida innescò la prima e schiacciando la neve tornò al cancello principale. Rocco poté alzarsi e sgranchirsi la schiena che ormai era una morsa di dolore. Tranquillo tornò dai due poliziotti. «Se ne sono andati. Voi tornate all'auto, io non ho finito».

«Ancora?».

«C'è l'altra casupola da visitare».

Ugo Casella era seduto nella cucina di Eugenia e si vergognava del suo abbigliamento. Teneva lo straccio pieno di ghiaccio premuto sul naso mentre la donna gli stava preparando una camomilla. Sull'uscio apparve il figlio ventenne. Sbadigliò e guardò Ugo come fosse una blatta sul pavimento. «Che è successo?» chiese alla madre.

«Niente Carlo... una discussione con tuo padre».

«Lo stronzo...» mormorò appena il ragazzo. «Vi siete picchiati?» questo lo chiese a Casella, ma a rispondere fu Eugenia. «Un po'».

«Spero che lei gliel'abbia suonate» disse il ragazzo. «Tu dormivi?».

«No... ero in camera mia. Lei come si sente signor Casella?».

«Insomma... fa un po' male il naso». Eugenia poggiò la tazza fumante sul tavolo. «Ecco, appena se la sente può bere» poi si sedette davanti a Casella.

«Io mi devo scusare signora Artaz per essermi intromesso, ma...».

«Non lo dica nemmeno. Innanzitutto ancora grazie per le rose» gli disse.

Si tolse lo straccio dal naso e gli vennero in mente le parole di suo cugino Nicola: «Guarda bene le mani, Ugo! Gli occhi e il corpo possono ingannarti, le mani no. Se le tiene ferme hai due possibilità. La prima è il nervosismo. Ma in quel caso un po' tremano. Se invece le tiene ferme ferme, insomma che non tremano, allora di te non gliene fotte niente».

Guardò. Eugenia teneva le mani poggiate sul tavolo. «Sono... sono contento che le siano piaciute...».

«Sì, le sono piaciute» fece Carlo sorridendo.

«Gialle e arancioni» precisò Casella continuando a guardarle le mani.

«Già» fece Eugenia. «Un bellissimo colore».

«Be', rosse sarebbe stato un po' troppo, no?» e Carlo scoppiò a ridere. Ma Casella era concentrato sulle mani di Eugenia.

Le teneva ferme.

Ma ferme ferme.

«Le tiene ferme?» le chiese.

«Cosa?».

«Le mani» rispose Casella. Eugenia se le osservò come se solo allora si fosse accorta di averle attaccate ai polsi. «Come le dovrei tenere?».

Casella si intristì.

«No, così, tanto per sapere...» e si vide riflesso nella porta-finestra della cucina. Il giubbotto d'ordinanza aperto davanti dal quale spuntava una maglietta rossa con la scritta «Ferramenta Bastianini & figli», i jeans tirati sotto la cassa toracica, i piedoni sgraziati infilati nelle ciabatte di gomma da piscina con fascione protettivo, pochi capelli e il naso gonfio e violaceo. Lontano anni luce da Steven Segal.

«Lei è strano» fece Eugenia.

«Sì lo so, ma è una teoria di mio cugino, poi un giorno magari gliela racconto». Prese la tazza e bevve un sorso di camomilla.

«Bene, dal momento che sono sveglio io mi metto un po' a lavorare» disse Carlo.

«Lavori a casa?».

«Sì...».

«Che lavoro fai?».

«È programmatore di computer, chi ci capisce niente?».

«Sei bravo con i computer?» gli chiese il poliziotto.

Carlo sorrise. «Bravo è un po' poco».

Qualcosa si illuminò nella mente stanca e provata di Ugo Casella.

«Perché? Interessa?».
«Senti, tu puoi darmi una mano con un caso, una ricerca?».
Eugenia guardò il figlio.
«Un caso?» chiese quello.
«Sì. Sto cercando qualcosa in rete da giorni e non la trovo. Magari tu potresti...».
Con un gesto della mano Carlo invitò Casella a seguirlo. «Prego» disse eccitato, «sentito, mamma? Tuo figlio darà il suo contributo per una società migliore».
Eugenia scoppiò a ridere e Casella pensò che non aveva mai visto niente di più bello di quel sorriso.

Una dozzina di carte d'identità di cui sette in bianco, polizze assicurative, decine di bancomat, sette timbri del Comune di Aosta, della Regione e della questura, un pacchetto di tessere sanitarie, due passaporti italiani intestati a Loredana Bianchetti e Franco Notarbartolo, con la peculiarità di avere attaccate sopra le foto di Lada e Guido Roversi, un passaporto inglese con la foto di Paolo Chatrian che sul documento risultava essere tale Peter Gheraghty, due pc, una libreria di hard disk, due plastificatori, una stampa tessere e sul fondo troneggiava una macchina tipografica Heidelberg.
«Te chiamavano Farinet perché falsificavi le carte delle cingomme? 'Sto pezzo di merda» fece Rocco. Fotografò il laboratorio col suo cellulare. Solo con la roba trovata lì dentro Guido Roversi si poteva fare una decina d'anni e con lui Lada, ammesso fosse quello il suo

vero nome. Rimise a posto i documenti contraffatti e uscì dalla baracca. Tornò a passi spediti verso la rete di recinzione sulla quale si arrampicò agilmente, ma che al momento di essere scavalcata sembrò di averne abbastanza per quella notte di tutto quel traffico e gli morse i pantaloni di velluto strappandoli all'altezza del cavallo. «Fanculo». Atterrò e sentì una scarica di dolore sotto i talloni ormai congelati dentro le Clarks zuppe. Ritornò all'auto con il fiatone. Antonio e Italo lo aspettavano. «Allora? Cosa c'è lì dentro?».

«Da' un'occhiata» e lanciò il cellulare a Italo mentre Antonio accendeva il motore. «Andiamo a casa?» chiese.

«No, in questura. Mi devo togliere una curiosità».

«Porca puttana!» gridò Italo con gli occhi fissi sulle foto scattate da Rocco.

«Che c'è?» fece Antonio distraendosi dalla guida.

«Un laboratorio di documenti falsi».

«Appunto» fece Rocco. «Ora abbiamo una traccia concreta per una ricerca che non chiudiamo da giorni».

A quell'ora la questura era deserta e i passi dei poliziotti rimbombavano per i corridoi. Quelli di Rocco invece facevano il rumore di uno straccio bagnato sul pavimento. Lupa si affacciò dalla sommità della scala stiracchiandosi la schiena, poi, indolente, andò incontro al padrone. Entrarono nella stanza degli agenti. «Cosa cerchiamo, Rocco?».

«Le presenze del casinò, tra la domenica e lunedì 2 dicembre...».

«Giorno dell'omicidio Favre» disse Antonio andando ad aprire l'armadio di ferro e cominciando a scartabellare. Italo accese il computer e stropicciandosi gli occhi si piazzò davanti al monitor. Lupa si acciambellò sulla poltroncina di Deruta per continuare il sonno. «Eccoci qui» Scipioni sfogliava un pacco di carte gualcite. «Allora che cerchiamo?» e si andò a sedere accanto a Italo allungandogli una decina di fogli. Rocco si alzò in piedi e si accese una sigaretta. «Controllate se quella sera Loredana Bianchetti, Franco Notarbartolo oppure Peter Gheraghty erano presenti...».

«Chi sono?» chiese Italo cominciando a spulciare la lista.

«Al secolo Guido Roversi, Paolo Chatrian e Lada Chestokova, Chiastakova, *so'ncazzo* come si chiama de cognome... che poi tanto manco è il suo e io comincio a credere si chiami Ljuba Simović residente a Belgrado in via Sokobanjska e che non sia russa ma serba o qualcosa di simile...».

Antonio fece un sorrisino senza perdere il controllo della lista. «T'ha preso in giro?».

«No, s'è avvicinata troppo al fuoco» gli rispose il vicequestore.

«E s'è scottata?» gli chiese Italo.

«Se abbiamo visto giusto più che scottata s'è procurata un'ustione di terzo grado su tutto il corpo».

«E uno!» gridò Italo. «Franco Notarbartolo è presente al casinò...» e allungò il foglio a Rocco. «Qui dice residente a Milano...».

«E certo, se ti stampi da te la carta d'identità puoi metterci quello che te pare...». Rocco prese il foglio. «Allora Guido Roversi detto Farinet proprietario di una società di spedizioni ma in realtà falsario era al casinò il giorno dell'omicidio di Favre».

«A meno che non si tratti di un'omonimia» fece Italo.

«E sarebbe un caso da guinness dei primati averne due di omonimie» disse Antonio sorridente passando un secondo foglio a Rocco. «Terza riga. Peter Gheraghty, direttamente da Cork».

Rocco lesse e sorrise. «Ci siamo amici miei, ci siamo proprio. Li abbiamo trovati 'sti figli di puttana. Che resta da fare?».

«Andiamo a prenderli».

«Tenetevi pronti per domattina. Voglio tutta la squadra, stavolta facciamo le cose come Dio comanda. Mo' andiamocene a dormire che è tardissimo» mollò una pacca a Italo e uscì diretto alla sua stanza.

«Perché s'è intristito?».

«Fa sempre così» rispose Italo. «Quando arriva alla fine si intristisce sempre».

«Sono un uomo di parola» le disse guardandola negli occhi. A quell'ora Aosta dormiva, Sandra Buccellato si teneva il cappotto stretto in petto e lo guardava assonnata. «Domattina li andiamo a prendere. C'è di mezzo la società di trasporti di Guido Roversi, un paio di persone che lavorano per lui e l'autista della Assovalue, Enrico Manetti. Ecco, tieni» le passò un foglio, «i dettagli sono tutti qui sopra. Nell'articolo evita la conferenza stampa del tuo ex marito che sarà solo un autoincensarsi roboante e appena senti la notizia dell'arresto vai dritta alle stampe. Ti auguro una buona notte». Si girò e fece per andarsene. Sandra restò lì col foglio in mano. «Sei arrivato troppo tardi però...».

«Già... hanno fatto prima quelli della tributaria».

«Grazie lo stesso, Rocco. Vuoi... vuoi salire?».

Il vicequestore sorrise appena. «Se hai voglia di giocare a briscola, perché altro adesso non sono in grado di fare».

«A briscola non ci so giocare».

Le sorrise e con Lupa che gli trotterellava dietro girò l'angolo e si dileguò.

Era stanco, la schiena una morsa di dolore e ogni passo era una stilettata sotto il tallone sinistro. Quello che più lo aveva sorpreso di tutta la faccenda era stato il sangue freddo di Enrico Manetti a sparare a bruciapelo in faccia al suo collega. Non l'avrebbe mai detto capace di un gesto simile. E gli rodeva ancora non avere le prove per incastrare Oriana Berardi, perché che lei fosse dentro tutta la storia era una certezza. Ci doveva essere una talpa dentro il casinò, qualcuno che conoscesse la data del trasporto di valuta e desse il via a tutta l'operazione, altro che coincidenze. Oriana avrebbe meritato una visita nel cuore della notte, ma forse era meglio aspettare: a inchiodarla ci avrebbero pensato i magistrati. A chi era legata Oriana? Poi una luce potente e improvvisa si accese nella mente di Rocco che come abbagliato si fermò davanti alla vetrina di un negozio di scarpe. «Che coglione!» disse. «Vieni Lupa, non abbiamo ancora finito per stanotte».

Eugenia entrò nella stanza di suo figlio. Portava un vassoio con due caffè. Carlo e Ugo Casella con gli occhi arrossati osservavano misteriosi algoritmi scorrere sui quattro monitor collegati ad altrettanti computer. C'era odore di chiuso e di corpi stanchi. «Sono le due... vi ho portato il caffè... ora basta però, sono ore che state lì davanti».

«Sì, ma l'abbiamo trovato!» fece Carlo sorridendo e facendo spazio sull'enorme tavolo ingombro di cavi mouse e taccuini per permettere alla madre di poggiare il vassoio.

«Come vi sentite?».

«Suo figlio è un genio!» disse Casella.

«Lo so. Ora prendetevi il caffè per favore» e porse una tazzina all'agente che la guardò. La mancanza di sonno la rendeva ancora più bella. Gli occhi chiari dietro le lenti degli occhiali erano luminosi e sorridenti e profumava di borotalco. Non sembrava stanca, anzi, pareva avesse riposato per ore.

Ma come fa?, si chiese Ugo. «Grazie signora...» disse poggiando le labbra sulla tazzina. Carlo sbocconcellava un biscotto senza mollare l'attenzione dai monitor.

«Io non so come ringraziarti, Carlo, era una cosa difficilissima, non ci potevo riuscire».

«Allora?» chiese Eugenia.

«Allora per prima cosa sono andato all'indirizzo IP di Romano Favre, da lì sono risalito e ho rintracciato un dropbox secretato. Aprirlo è stato complesso».

«Sì, teneva almeno due password» si unì Casella.

«E dentro c'era un bel po' di roba. Solo che ogni cartella l'aveva segnata con altre password. Un bel labirinto, ma niente che non si possa superare».

«Abbiamo trovato foto, conti chissà di cosa, poi anche...» disse Casella cercando di nascondere l'imbarazzo.

«Sì» proseguì Carlo sorridendo, «abbiamo anche scoperto qualche perversione di Romano Favre. Vero Ugo?» e gli fece l'occhiolino complice. Casella arrossì poggiando la tazzina accanto a una delle tastiere.

«Io queste schifezze non le voglio sapere» disse Eugenia divertita.

«Insomma la cassaforte dei segreti del ragioniere Favre era sulla rete, difficile da aprire, ma stava dove in fondo tutti la potevano vedere. Noi per primi! Ma una cartella in particolare è interessante, quella che stiamo aprendo. Ci sono ben dodici mp3».

«Sono file sonori» disse Casella.

«E li avete ascoltati?» domandò Eugenia ormai rapita dall'indagine di quello strano poliziotto e di suo figlio.

«Li stiamo aprendo ora» il ragazzo si avvicinò al monitor più piccolino. «Osservando lo spettro non direi che si tratta di musiche».

«È l'ultima speranza» fece Casella, «o c'è qualcosa qui dentro oppure abbiamo fatto un buco nell'acqua».

«Fidati» disse Carlo sbadigliando, «una cartella con doppia password nascosta in un faldone criptato contiene sicuramente qualcosa di interessante...».

«Cosa si aspetta, signor Casella?».

Ugo si perse per un attimo negli occhi di Eugenia, poi deglutì e rispose: «Mi aspetto delle prove. Prove che ci aiutino a inchiodare i mandanti del suo omicidio».

«Fa venire i brividi questa storia».

Ugo decise che era arrivato il suo momento, doveva tirare fuori la coda del pavone. «Lo so Eugenia, il nostro è un lavoro terribile. Sempre in mezzo a morti ammazzati, assassini, sangue... dopo tanti anni comincio a essere un po' stanco». La donna lo guardava con gli occhi spalancati, apprensivi, pendeva dalle sue labbra, Ugo rincarò la dose. «Rischiare la pelle per lo stipendio che prendo, mi creda, non so chi me lo fa fare. Un lavoro senza orari, senza dormire, senza mangiare, con l'ansia di fermare un delinquente, un figlio di buona donna pronto ad ammazzare qualcuno...». Anche la bocca di Eugenia era aperta, ipnotizzata da quello sfogo sincero, si asciugava le mani sulla gonna e le ripoggiava sullo schienale della sedia del figlio, movimento che non sfuggì a Casella. Gli tornò ancora una volta la voce di Nicolino, suo cugino: «... le mani. Se non sa dove metterle allora è buon segno. Significa che è imbarazzata, che le piaci, che ci sta qualche possibilità». Ugo comprese che stava lavorando bene, sentiva di averla in pugno, era arrivato il momento di sferrare l'attacco finale. «Si è soli, Eugenia. Senza una famiglia. Avrei sempre voluto una famiglia, ma dove trovare una donna che condivida con me questa vita pericolosa?».

«Infatti» rispose Eugenia. E basta, non aggiunse altro. «Volete ancora caffè?».

Il crollo di un palazzo, la caduta di un iceberg, il deserto del Sahara, il fungo di Hiroshima, questo vide Casella in quei pochi centesimi di secondo, in quella semplice congiunzione la fine delle sue speranze. E alla prima occasione avrebbe mandato a fare in culo Nicolino e la sua teoria delle mani.

«No mamma, grazie».

«No grazie, signora Artaz» mormorò appena Casella.

«Ci siamo!» disse Carlo esaltato. «Adesso ascoltiamo». Casella fermò la mano del ragazzo che aveva già impugnato il mouse, lo guardò negli occhi: «Carlo, se dentro ci sta quello che cerchiamo tu diventi testimone in un eventuale processo, perché vieni a conoscenza di informazioni importanti, segreti istruttori, cose che non dovresti neanche sapere. Te la senti?».

«Certo che sì» e premette il tasto destro.

«Forza» disse Eugenia eccitata.

Rumore di fondo. Bicchieri, chiacchiericcio.
Voce di uomo: Il trenta per cento o vi inchiodo...
Voce di donna: Ma sei matto?
Voce di uomo: (rumori) Serio... ho tutto in mano e...
Voce di donna: (indistinto). Parlo con gli altri.
Voce di uomo: Non fate cazzate.
Rumori di fondo. Interruzione.

«Che significa?» fece Carlo. Casella rifletteva sull'intercettazione. Poi sorrise. «Secondo me siamo sulla strada giusta, poi ci penserà Schiavone!» e mollò una pacca sulle spalle del ragazzo.

«Sentiamo le altre registrazioni?».

«Non c'è bisogno».

«Allora te le scarico su una pennetta e te le porti al commissariato».

Casella si stiracchiò: «Grazie Carlo, sei stato prezioso».

Eugenia restò a guardare il monitor: «Tutto qui?».

«Come tutto qui?» chiese l'agente di polizia.

«Mi piacerebbe sentire le altre». Eugenia accompagnò la richiesta con un sorriso seducente.

«Non ne ha il diritto! È roba della Polizia di Stato questa!» rispose duro Casella.

Rocco fermò l'auto a via Mus, Saint-Vincent. Seguito da Lupa, felice di quella scorrazzata notturna imprevista, raggiunse il portone di Arturo Michelini. Era chiuso. Citofonò alla dirimpettaia del ragioniere Favre, Bianca Martini, tanto sapeva che a quell'ora la vecchia vicina era ancora sveglia. «Signora, sono Schiavone, della polizia, per favore mi apra!».

«Subito!» rispose quella.

La trovò davanti al suo appartamento con uno scialle di lana sulle spalle e gli occhi vispi e attenti. «Dottore! Che succede?».

«Devo entrare in casa di Arturo...».

«Vuole le chiavi? Io ce le ho!».

Preferì prenderle, forzare ancora la serratura davanti a un testimone non gli parve il caso. «Gliele riporto subito...» fece salendo le scale.

«Ma ci sono novità?».

«Domani ascolti il notiziario» le rispose, «e grazie. Se i cittadini fossero tutti come lei noi faticheremmo di meno» mentì. Avrebbe voluto dirle che se i cittadini fossero stati tutti come lei nessuno avrebbe più potuto farsi i fatti propri.

Entrò in casa di Arturo. Lupa andò ad odorare la cenere del camino. «Dimmi che non devo anda' al carcere a cercarlo, te prego...» mormorava mentre rovistava dappertutto. Armadio, scrivania, mensole della cucina. Lo trovò nel cassetto del comodino. Un cellulare Samsung che Arturo non aveva fatto in tempo a portarsi via il giorno dell'arresto. Lo accese. C'era una password. «Porca puttana!» imprecò. L'inno alla gioia risuonò nell'appartamento spettrale. «Chi è?».

«Dottore, sono Ugo, Ugo Casella».

«Se mi chiami a quest'ora...».

«Importantissimo! Ho trovato quello che nascondeva Favre online».

Rocco dovette sedersi sul letto. «Tu? E come hai fatto?».

«Mi ha aiutato Carlo».

«Chi cazzo è Carlo?».

«Il figlio di Eugenia, la mia vicina. Mago dei computer. Dentro c'è tutto, dotto'!».

«Casella, ti propongo per una promozione!».

«Dice davvero?».

«E che scherzo? Senti un po', 'sto Carlo è davvero bravo?».

«Bravo è poco!».

Frenò l'auto sotto la palazzina di Casella alle tre passate. Il poliziotto lo aspettava riparato dal freddo dentro il portone. Sotto il giubbotto d'ordinanza spuntavano i pantaloni del pigiama e i piedi nelle ciabatte da piscina. «Case', sei una visione infernale» gli disse.

«Ecco venga... stiamo al terzo piano!» e gli fece strada sulle scale. «Prego, prego, da questa parte... ecco qui è casa mia...».

Rocco non disse niente e Casella capì. «Sì, infatti, chissenefrega direbbe lei... ancora una rampa e siamo arrivati».

La porta di casa era socchiusa. «È permesso?» fece l'agente spingendo l'anta.

«Prego, prego» una voce di donna li accolse. Apparve Eugenia Artaz. Casella notò che si era pettinata. «Ecco Eugenia, questo è il mio capo».

«Vicequestore Schiavone, mi scusi l'ora e il disturbo».

«Non si preoccupi, gli amici di Ugo sono miei amici. E chi è questo bel cagnolone?».

«Lei è Lupa. Ha le zampe bagnate, disturba?».

«Ma figuriamoci, amo i cani, io».

Rocco guardò Casella con un sorrisino d'intesa, Ugo gli rispose triste scuotendo la testa.

«Venite, Carlo è in camera sua» e la donna fece strada.

«Aò, mica male la vicina. Ci hai fatto un pensierino?» fece Rocco sottovoce.

«Pure di più, ma dotto', non ci sta trippa per gatti».

«E te credo, te presenti vestito come un profugo!».

Carlo era seduto alla sua postazione. Rocco annuì soddisfatto appena vide l'attrezzatura mastodontica del ragazzo. «Ma quando accendi il computer va in blackout il quartiere?» disse.

Carlo si imbarazzò. «Piacere, Carlo. Guardi dottore, tutto quello che faccio qui è pulito, legale e...».

«Ma che me ne frega!». Rocco prese posto accanto al ragazzo. Casella rimase in piedi vicino alla donna. Le gettò un'occhiata, ma quella era concentrata sul nuovo venuto. «Allora Carlo, so che hai già aiutato il collega qui, il prezioso Casella... a proposito, Ugo, ho dimenticato di farti i complimenti per l'altro giorno».

«Per... per cosa, dottore?».

Rocco sorrise. «Vedete? Umile e onesto, gli è già passato di mente. Sono così gli eroi. Da solo ha arrestato tre spacciatori. Roba che dovrebbe finire sui notiziari in prima pagina. Disarmato, poi...».

Casella stava per intervenire ma un'occhiata dura di Rocco lo bloccò.

«Accidenti...» disse distratta Eugenia.

«Bene Carlo, veniamo a noi. Devo aprire questo cellulare ma ha la password».

Il ragazzo sorrise appena. «Capirai...». Afferrò il telefonino, lo attaccò al computer e cominciò a digitare. Strisce di numeri e cifre apparvero sul monitor blu.

«Ecco, gli dia un paio di minuti e la trova».

Eugenia osservava con orgoglio il figlio. Casella invece si sforzava a tener fermi gli occhi sul monitor e non a puntarli nella scollatura della padrona di casa. Rocco approfittò dell'attesa. «Ugo, il questore ti vuole parlare, ti cerca come un pazzo...».

«A... a me?».

«E a chi? Quando non ti sente svalvola. Fai il favore, lasciaglielo il tuo numero di cellulare, si sente più tranquillo».

«Glielo... lascio?».

«Lo so, è pur sempre il questore, no?».

Sul monitor una prima cifra si fissò nel quadratino di ricerca password.

«Lo sa signora? Il questore si fida solo di Ugo. Che poi io dico, allora facciamolo fare a lui il questore, no?».

«E certo!» disse Eugenia.

«Ma l'Italia è così. Non esiste la meritocrazia, cara Eugenia. E lo sa cosa le dico? Il giorno che Ugo andrà in pensione la questura perderà il suo uomo migliore!».

Il secondo numero fu trovato dal sistema.

«Bene, ne mancano due» fece Carlo.

«Insomma, ho un vicino importante e non lo sapevo?» chiese Eugenia e stavolta regalò un sorriso a Casella.

«Eh già».

Casella restava in silenzio. Non certo per calcolo strategico, semplicemente non arrivava a capire dove stesse andando a parare il vicequestore con tutte quelle bugie.

Il terzo numero si fissò nel riquadro.

«Bravo Carlo, vai forte» e Rocco si passò la mano sul mento facendo sfrigolare la barba.

«Posso portare un caffè?» disse Eugenia.

«No grazie, ne ho presi anche troppi. Ugo, mentre aspettiamo, ti ricordo che per domattina mi serve la relazione sulla tua indagine patrimoniale alla Saint-Rhémy-en-Ardennes, ma non darmela con l'inglese a fronte, mi basta italiano e francese per i colleghi di Lione».

Appena sentì Saint-Rhémy-en-Ardennes, la razza che Rocco aveva inventato per Lupa a chiunque gli chiedesse il pedigree della cucciola, per poco non scoppiò a ridere. Finalmente gli occhi di Eugenia erano solo per lui.

«Va bene, dottore. Solo francese e italiano. Però ci parla lei con quelli di Edimburgo». Ora che aveva capito cominciava a divertirsi.

«Tranquillo Ugo, so come trattare gli scozzesi».

Lupa si accucciò ai piedi di Casella. «E questo cagnolone che razza è?» chiese Eugenia. Casella sentì il sangue gelarsi. Rocco guardò Eugenia. «Non ha nessuna razza» le disse. «Cane, è sufficiente».

«Allora inventiamola noi una razza» propose Carlo.

«Tipo?» chiese la madre.

«Tipo quel nome buffo che il vicequestore ha detto poco fa... Saint-Rhémy-en-Ardennes... è carino, no?».

Rocco guardò negli occhi il ragazzo. Non era ironico, diceva sul serio. «Vada per Saint-Rhémy-en-Ardennes, allora!».

Eugenia scoppiò a ridere e si appoggiò a Casella. L'agente sentì il braccio prendere fuoco e un formicolio sul cuoio capelluto. «È carino il nome, vero Ugo? Che ne dici?».

«Dico che è bellissimo!» e la guardò negli occhi. Lei ricambiò lo sguardo e per qualche secondo Casella non era più ad Aosta ma chissà dove abbracciato a Eugenia Artaz.

«Ecco la quarta cifra!» disse Carlo indicando il computer.

«4/4/7/7» disse Rocco. La impostò sul cellulare e quello si aprì. Spulciò fra i messaggi.

«Cosa cerca?» gli chiese Casella, ma stavolta Rocco non rispose. Poi li trovò.

«Eccoli qua!». Una serie lunghissima di messaggi con Oriana Berardi. «Prima o poi l'errore dovevi farlo, cazzone!» disse Rocco. Non aveva più dubbi, Oriana Berardi e Arturo Michelini avevano una storia, almeno da un anno, data del primo sms. Era lei la misteriosa collega del casinò di cui gli aveva parlato Cecilia. Il vicequestore sorrise e si alzò in piedi. «Carlo, sei stato fondamentale. Eugenia, sia orgogliosa di suo figlio come io lo sono di Ugo. Io e te alle cinque in questura, porta gli mp3 di Favre che hai trovato!» gli disse. Casella serio chinò appena il capo.

«Mentre aspettavamo ne ho fatto una copia per lei» disse Carlo porgendogli una pennetta, «così li può ascoltare con calma».

Rocco la prese. «Come faccio?».

«Semplice. La infili in un computer e buon ascolto!».

«Grazie Carlo. Che ore sono? Annamo Lupa, giusto il tempo di una doccia...».

Da quanto non dormiva? Ormai aveva perso il conto. Una decina di api dentro il cranio e i battiti cardiaci che si inseguivano. Sapore amaro e lingua secca. Se la schiena era un grumo di dolore il collo pareva bloccato col silicone. Anche Lupa trascinava i passi, stanca e assetata. Aprì la porta di casa e si diresse verso il bagno per fare una doccia spogliandosi ancora prima di raggiungerla. Sotto il getto dell'acqua calda chiuse gli occhi e dietro le palpebre vedeva centinaia di comete e curiose strutture blu gialle e rosse che sembravano costellazioni o forse molecole del Dna. Ci restò per almeno dieci minuti e quando ne uscì una nuvola di vapore lo avvolgeva come in un bagno turco. Si lavò i denti e fu piacevole sentire il dentifricio alla menta rinfrescare lingua e palato. Si strofinò i capelli con l'asciugamano, indossò l'accappatoio e uscì. Solo in quel momento si accorse che Cecilia non era in casa. I muri di carta giapponesi erano spalancati. Gabriele invece dormiva nel suo letto. Lupa si era riappropriata del divano e guardava Rocco con aria interrogativa. Prese un sorso d'acqua e silenzioso si avviò verso la camera da letto.

«Ciao Rocco...» la voce di Gabriele impastata di sonno lo fece voltare.

«Dormi Gabrie', è tardissimo».

«Non ti vedo da un sacco». Il ragazzo teneva gli occhi aperti e la testa poggiata sul cuscino. «Che succede?».

«Lavoro... mamma?».

«Mamma è a Torino».

Rocco dubbioso fece una smorfia.

«È vero. L'ho chiamata in ufficio alle sette...».

Torino-casinò di Saint-Vincent poco più di un'ora di macchina, pensò il vicequestore.

«Hai fame?».

Ho fame?, si chiese Rocco. Sì, l'aveva. «Devo andare a dormire... non chiudo occhio da due giorni».

«Faccio una cosa veloce» e Gabriele lanciò via le coperte e schizzò fuori dal letto. «Ti piace?» indicò la maglietta bucherellata con la scritta: «Born to raise Hell!».

«Roba da settimana della moda a Milano».

«Vero?» e si precipitò in cucina. «Mamma ha fatto la pasta al sugo ed è avanzata. Ora la riscaldo, niente di più buono, no? E poi dormiamo felici».

«Gabrie', purtroppo tempo di dormire io non ne ho».

«Almeno mangi» e prese la padella per metterci l'olio.

«Senti un po', mi presti il computer? Devo ascoltare dei cosi... come si chiamano emme pi tre» gli chiese mostrando la pennetta.

«Ti metti a sentire musica a quest'ora?».

«Non è musica... meglio, è musica per la magistratura».

«Prendilo, sta sul letto. Infila quella chiavetta nella porta usb di lato e cliccaci sopra».

Rocco eseguì. «S'è aperto l'ira di Dio...».

«Aspetta che vengo io». Lasciò la padella sfrigolante con la pasta dentro e raggiunse Rocco. «Lasciami dare un'occhiata... e vabbè, sono tutti file. Ora li ascolti uno per uno cliccandoci sopra... così...».

Rumore indistinto. Tono di telefono libero.
Voce di donna: Sì?
Voce di uomo: So tutto...
Voce di donna: Chi parla?

Voce di uomo: Voglio il trenta per cento sennò vado in procura.
Voce di donna: (indistinto) Non so se... ma chi parla?
Fine comunicazione.

Gabriele guardò Rocco. «Che vuol dire?».

Rocco sorrideva. «Che abbiamo trovato il tesoro, amico mio... vai, clicca su un'altra».

Chiacchiericcio. Lontano. Rumore di oggetti di plastica sbattuti.
Voce di uomo: Rien ne va plus....
Rumori soffocati.
Voce di donna: Che ne so? Mi sta telefonando da due giorni e... (indistinto) ma porca puttana, io che ne so? Certo... certo... sicuro...
Voce di uomo: 27 rouge... impair et passe.
Voce di donna: Sicuro... allo scoperto...
Rumori indistinti.

«Io non ci capisco un'acca».

«Non puoi. Passa al terzo...».

Gabriele eseguì, poi si alzò per controllare la pasta che già emanava un profumo meraviglioso. «Ci vuoi il parmigiano?».

Vociare. Piatti e bicchieri.
Voce di uomo: Hip hip!!!
Voci: Urrà!!!
Risate.

Rumore di piatti e bicchieri.
Voce di donna 2: Fammi capire meglio?
Voce di uomo: E che ti devo dire?
Voce di donna 2: Ma sei sicuro?
Voce di uomo: Al cento per cento... (rumori indistinti) Bastardi l'hanno fatta bene...
Voce di donna 2: Secondo me rischi Romano...

Rimase a guardare il monitor del computer con la lista dei file ancora da aprire. Aveva riconosciuto la seconda voce di donna, l'accento slavo era inconfondibile.

«Che hai?» gli chiese Gabriele.

«Niente. Quanto manca alla pasta?».

«Praticamente è pronta».

Mangiarono gli spaghetti croccanti assorti nell'ascolto delle altre intercettazioni. Finito il piatto e asciugandosi la bocca Rocco aveva ormai chiara la storia. Ci aveva visto giusto. La situazione era molto più semplice del previsto. Il ragioniere aveva scoperto tutto, modalità del colpo, il metodo che avrebbero usato per portare i contanti in Svizzera, chi c'era nella banda e chi stava organizzando, ma non era stato preso dalla sete di giustizia; voleva il 30 per cento del bottino. E agli occhi di Rocco da vittima innocente s'era trasformato in un ricattatore qualsiasi. Curioso come pochi giorni prima lui avesse finto un ricatto ai riciclatori di denaro del casinò per arrestarli e ora scopriva che sempre per un ricatto Favre aveva perso la vita. Stessa azione, due finali diversi. «La sai una cosa, Gabriele? Non scherzare mai con la polvere pirica». Il ragazzo lo guardò senza capire. Mancavano un paio d'ore alle sei, tempo di un breve riposo, di cambiare l'ennesimo paio di scarpe e poi avrebbe chiamato Baldi.

Ugo Casella aveva il viso assonnato. Deruta, sudato, reduce dal turno al panificio della moglie faticava a tenere gli occhi aperti. Italo sbadigliava e D'Intino se ne stava appoggiato al muro col solito sguardo perso nel vuoto. Gli unici svegli e presenti a loro stessi sembravano essere Antonio Scipioni e Michela Gambino che, poggiata alla scrivania a braccia conserte, mormorava qualcosa, sembrava stesse pregando o ripetendo una lezione a memoria. Costa in piedi ascoltava. Rocco attaccò. «Abbiamo chiuso con la storia della rapina del furgone e dell'omicidio Favre».

Costa sorrise.

«Vado per gradi. Cominciamo con il capannone abbandonato utilizzato come nascondiglio del gruppo ritrovato da Deruta con la casuale partecipazione di D'Intino. È stato rinvenuto un pezzo di plastica adesiva gialla bruciacchiato».

«Era una pellicola adesiva, serviva per camuffare il camion» disse Michela.

«Ma la cosa più importante è il terriccio. Vede, dottore, in quel capannone c'era del concime per i vigneti, concime presente, e qui faccia attenzione, in mezzo alla neve nel luogo di ritrovamento dell'autista del furgone, Enrico Manetti. Dico bene, Michela?».

Il sostituto della scientifica annuì.

«Il Manetti racconta di essere stato prima addormentato con qualcosa sulla bocca, e poi ha subito un'anestesia, Diprivan, tracce del medicinale sono state ritrovate dal solerte Fumagalli. Fin qui tutto regolare, ma già c'è un particolare che stona. Manetti guidava e riporta la puntura sul braccio sinistro, quello più lontano da chi gli siede accanto che lo minacciava e che, sempre secondo il racconto di Manetti, l'ha anestetizzato. La cosa più ovvia sarebbe stata fargli la siringata sul braccio destro, ne conviene?».

Costa ci rifletté sopra guardandosi gli avambracci. «Sì, direi di sì».

Anche gli agenti annuirono.

«Ma andiamo oltre. Chi anestetizza il guidatore del furgone è Maquignaz, sempre stando al racconto di Enrico Manetti, Maquignaz che viene ritrovato cadavere giorni dopo. E qui la cosa si complica. Maquignaz dunque dovrebbe far parte della banda che dopo uno scazzo...».

«Traduca scazzo» fece Costa.

«Litigio» intervenne Pierron.

«Dicevo, dopo un litigio appunto lo elimina. Questa è la versione che dovremmo ingoiare. Ma cosa c'era sotto le sue scarpe, Michela?».

«Sotto le sue scarpe non c'è traccia di quel terriccio, che invece ho ritrovato sul fondo della fossa vicino al fiume che i suoi assassini gli avevano scavato».

«Esatto. È stato ucciso con un colpo alla testa sparato a distanza ravvicinata. Allora io mi sono convinto che le cose sono andate in un altro modo. Maquignaz con la banda non c'entra niente, non è mai sceso dal mezzo, viene freddato mentre è ancora a bordo del furgone da chi? Ovvio, da chi il furgone lo guidava. Tanto è vero che per far sparire le tracce il blindato lo ritroviamo bruciato in mezzo ai boschi, cancellare tutte le prove era prioritario, giusto dottore?».

«Giusto».

«E sempre tornando al terriccio lo sa dove lo abbiamo trovato?».

Prese ancora la parola Michela Gambino: «Sotto le scarpe di Enrico Manetti, l'autista, l'uomo che si è risvegliato imminchionito in mezzo alla neve».

«Traduca imminchionito» si intestardì Costa.

Stavolta fu Antonio Scipioni a rispondere: «Rincoglionito».

«Bene. Sorge spontanea la domanda: se Manetti è stato anestetizzato sul furgone, quando avrebbe calpestato quella terra?» concluse Costa.

«L'hanno addormentato dopo, allora?» fece Antonio.

Rocco scosse la testa. «Una finta. Un bluff, diciamo. Allora si delinea la banda. Manetti alla guida che in tutta autonomia e tranquillità fa salire il blindato sul tir dopo aver freddato Maquignaz. Qualcuno richiude il portello del camion che parte per far perdere le tracce».

«Quindi se ho capito bene la banda è formata da Manetti e da altri a noi sconosciuti...» disse il questore.

«Sconosciuti no. E qui entra in scena Guido Roversi e la sua attività di trasporto. Siamo andati a cercare da quelle parti».

«Chi è andato?» chiese il questore spostandosi verso il divanetto di pelle.

«Io, l'agente Scipioni e l'agente Pierron... e abbiamo scoperto due cose molto importanti. Le dici tu, Italo?».

Italo deglutì, non era abituato a parlare davanti al questore. «Guido Roversi lo chiamano Farinet, un falsario che viveva in Valle tanti anni fa. E falsario Roversi lo è per davvero. In un prefabbricato ha attrezzature di stampa per fare documenti, carte di credito eccetera eccetera».

«Ottimo». Costa si sfregò le mani. «Avevate l'ordine del pm per questa perquisizione? Mi dica di sì».

«Dettagli, dottore. Vai avanti, Italo».

«Per lui lavora un tale Paolo Chatrian. Il vicequestore ha trovato documenti contraffatti di questo tizio, un passaporto con un nome falso... aspetti, signor questore, che l'ho segnato» si mise la mano in tasca e tirò fuori il suo blocchetto degli appunti: «Peter Gheraghty, mentre Guido Roversi ha scelto come nome Franco Notarbartolo. Abbiamo anche un passaporto della compagna del Roversi Lada Chesno... non ricordo il cognome».

«Lada Cenestav, Cedstajeva, Cenestajeva, vabbè chissenefrega, tanto è un nome finto anche questo» disse Rocco, «e Franco Notarbartolo e Peter Gheraghty erano presenti al casinò la notte dell'omicidio Favre» continuò Schiavone guardando il questore.

«E lei cosa sospetta?».

«Ricorda la storia dell'accendino bianco?».

«Ah!» gridò Michela Gambino, «lo sapevo che tornava la maledizione dell'accendino bianco...».

Costa guardò il sostituto e non colse il suggerimento silenzioso di Schiavone di evitare di fare domande. «Quale maledizione?».

«Porta sfortuna! Brian Jones, Jimi Hendrix, Janis Joplin, Kurt Cobain, il club dei 27, al momento della morte avevano tutti un... bic bianco!».

«Che cosa c'entra con l'omicidio del ragioniere Favre?».

«Niente dottore» intervenne Rocco. «Qualcuno la notte dell'omicidio prelevò dal casinò l'accendino bianco della povera Cecilia Porta e lo lasciò sul luogo del delitto. Un complice della banda, è ovvio, che ha cercato di depistarci e gettare i sospetti su quella donna con il vizio del gioco. E qui arriviamo all'ultimo tassello: Arturo Michelini, il croupier, l'omicida di Favre».

«Era anche lui nel gruppo?».

«Sicuro. Ottimo sciatore, poi le spiego perché questo dettaglio è importante, cercava le prove del ricatto a casa del ragioniere. Il cellulare. Lo ha prelevato e probabilmente distrutto. Ma non poteva sapere che Favre aveva lasciato tutto online, in una cartella dropbox, e grazie alla bravura e alla testardaggine di Ugo Casella, quei file secretati li abbiamo trovati».

Costa guardò l'agente pugliese ammirato che rispose con un sorriso timido. «Anzi» continuò Rocco, «io propongo Casella per una promozione, lo dico senza ironia. Bene, in quei file c'è tutto».

«Li ha consegnati alla magistratura?».

«Stamattina alle sei meno un quarto li ho lasciati al

dottor Baldi. Ma non è finita. Si ricorda lo scontrino con quelle tre iniziali?».

«A, B e C, mi pare».

«Esatto dottore. Finalmente sappiamo a chi appartengono quelle iniziali. A è l'Assovalue, la C è Chatrian e B è Oriana Berardi, dirigente del casinò legata sentimentalmente ad Arturo Michelini. La voce femminile nelle intercettazioni del ragioniere è la sua. Purtroppo la vittima non ha capito che il suo migliore amico, Guido Roversi, e Arturo Michelini, il suo vicino di cui si fidava tanto da lasciargli le chiavi, erano parte della banda. E questa distrazione gli è costata cara».

«Lei, Schiavone, prima ha detto che Arturo Michelini è un provetto sciatore ed è un dettaglio importante».

«Sicuro. Riguarda i proventi della rapina. I soldi sono alla Walliser Kantonalbank a Zermatt presso un conto intestato a tale Ljuba Simović che risiede a Belgrado in via Sokobanjska, altra informazione che ci viene dal famoso scontrino di Favre. Io credo che Ljuba sia in realtà Lada, la compagna di Roversi, che non è russa ma serba. Tornando a Michelini, era lui che avrebbe dovuto portare il bottino in Svizzera. Come? Si sale sci ai piedi e zainetto col contante in spalla con la funivia di Plateau Rosa oppure a Bontadini, e poi giù!, si scende fino a Zermatt». Guardò i colleghi, poi sorrise: «E qui Rocco Schiavone, noto ignorante dell'arte sciistica, meriterebbe un applauso solo per aver nominato due impianti di risalita».

Michela cominciò a battere le mani ma lo sguardo duro del questore la gelò.

«Ma se Arturo è in galera, chi ce li ha portati i soldi laggiù?».

«Roversi. Lada s'è fatta scappare giorni fa questo dettaglio mentre chiacchieravamo allegramente per le vie del centro».

«Bene...» Costa batté le mani, «operativi!».

Rocco si alzò dalla scrivania. «Noi ci occupiamo di Guido Roversi...».

«E io mi occupo di fermare Enrico Manetti e Oriana Berardi» concluse il questore. «Abbiamo gli ordini di cattura?».

Rocco gettò un'occhiata alla scrivania. Erano lì, impilati e firmati dalla procura. Uscirono tutti dalla stanza. «Io e Antonio sulla prima auto» scendendo le scale Rocco impartiva gli ordini, «Italo e Casella sulla seconda, chiudono Deruta e D'Intino». Arrivarono sul piazzale. L'alba ancora non era spuntata e il freddo sbiancava le facce dei poliziotti. Rocco si fermò a guardare i suoi uomini uno per uno. «Raga', aprite le orecchie. Poche cazzate e tenete pronti i ferri che questa è gente che non scherza. Non me ne frega un cazzo delle regole d'ingaggio, se sono armati sparate, senza se e senza ma, sono stato chiaro?».

Il vento gelido scompigliava i capelli e inumidiva gli occhi degli agenti che si guardavano spaventati.

«Meglio uno di loro per terra che uno di noi. Ora andiamo!» e seguito da Antonio si lanciò verso la prima auto.

«Rocco, e tu la pistola?» gli chiese Antonio aprendo lo sportello.

«Non la porto».

Le sette e mezza. Le auto della polizia entrarono a tutta velocità nel cancello della Spedizioni Roversi alzando polvere di neve e fango. Frenarono sbarrando l'uscita. Schiavone accompagnato da Scipioni uscì dalla prima auto. Gli agenti Pierron e Casella, armi in pugno, scesero dalla seconda, mentre Deruta e D'Intino si fermarono proprio davanti al cancello a bloccare il passaggio. Il primo a reagire fu Paolo Chatrian che stava montando sul camion. Appena vide arrivare i poliziotti scappò verso il prefabbricato più vicino. Il suo compagno, quello tarchiato e muscoloso, si lanciò all'interno di un furgone. Dalla casupola schizzò Guido Roversi, pallido, che corse verso la costruzione con la tipografia segreta.

«Fermi!» urlò Schiavone. «Fermati Roversi!».

Per tutta risposta dal prefabbricato partirono due colpi. Casella e Pierron, i più vicini, si gettarono a terra, Scipioni estrasse l'arma e puntò verso la casupola rispondendo al fuoco. Un paio di vetri andarono in frantumi. Roversi invece strisciò verso la baracca e Schiavone si lanciò verso di lui: «Fermo Roversi, cazzo!».

Dal furgone alla sinistra partirono altri colpi di pistola. Il tarchiato aveva preso di mira Pierron e Casella. Italo si voltò e rispose. La baracca sputò altri colpi in sequenza. Scipioni in piedi continuava ad avanzare e sparare. Il vicequestore aveva raggiunto Guido Roversi. «Dove cazzo vai?». Si lanciò sull'uomo bloccandolo a terra. Chatrian sparò ancora, stavolta a rispondere fu Casella che scheggiò la porta di legno mentre l'uomo dal furgone teneva sotto tiro Pierron. Anche Deruta estrasse l'arma e con gli occhi chiusi svuotò tutto il caricatore sul furgone costringendo il tarchiato a nascondersi all'interno del veicolo.

«Pezzo di merda!» il vicequestore mollò un cazzotto a Roversi sul setto nasale tramortendolo. Poi Chatrian uscì dall'ufficetto, mitraglietta in braccio, e cominciò a sventagliare colpi urlando come un ossesso. Centrò due pneumatici di un tir e mandò in mille pezzi i cristalli dell'auto di Rocco.

«Giù» intimò Rocco al suo collega. Ma Antonio non l'ascoltò, come in stato di trance prese la mira e centrò il gigante alla gamba che cadde con un gemito di dolore sparando l'ultima sventagliata di proiettili in aria. Il tarchiato alla vista del compagno ferito cercò la fuga sulla recinzione, ma Italo fu rapido. «Fermati! Fermati, cazzo!» gridava con la pistola d'ordinanza puntata alla testa del bandito, cui non rimase che alzare le mani e arrendersi al poliziotto. Casella intanto aveva raggiunto Rocco e ammanettato Roversi che si teneva il naso sanguinante con tutt'e due le mani. Antonio con un calcio allontanò l'arma dal gigante. «Paolo Chatrian, ti dichiaro in arresto! Minchia, era una vita che volevo dirlo!». D'Intino e Deruta presero in consegna il tarchiato. Dalla casupola con le mani alzate pallida e spaventata uscì Lada. Rocco la guardò. «Sei in arresto anche tu, Ljuba Simović...» e un po' gli dispiacque. Quella non reagì e sconfitta si fece mettere i ferri dal vicequestore.

«Portiamoli via! Antonio, chiama un'ambulanza per questo pezzo di merda!». Gli agenti si guardavano con gli occhi accesi dall'adrenalina, ma sorridevano. Era durato tutto pochi secondi, un inferno che avrebbero raccontato ai nipoti, ammesso fossero riusciti mai ad averne. «Dottore... me la so' fatte addosso ma li semo catturati» fece D'Intino a Rocco che gli mollò una pacca sulla schiena. «D'Inti', ora ti puoi prendere il permesso e andare al paese. Porta 'sta stronza in questura» e gli consegnò Lada.

«Rocco!». Italo con il fiatone e il volto pallido si avvicinò: «Tutto bene?».

«Io sì. Tu Italo? State tutti bene?».

«Io mai stato meglio...» rideva esaltato.

Rocco si voltò verso Scipioni: «Antonio, hai chiamato l'ambulanza?». L'agente con il bandito ai piedi che si teneva la gamba ferita annuì.

«Quando ti dico giù, tu devi andare giù e ripararti».

«Eh?».

«Ho detto: quando ti dico giù, tu devi andare giù e ripararti».

«Magari, ma non mi si piegavano le ginocchia» rispose Antonio con la bocca tremante.

«Oh Madonna» disse Italo. Rocco si voltò. «Rocco? Hai sangue...» e gli indicò la schiena.

Il vicequestore si mise la mano sopra i muscoli lombari e la ritirò inzaccherata. «Oh porca...» ringhiò. Poi la testa gli girò in tondo, tutto diventò liquido, trasparente e cadde a terra come solo un corpo morto può cadere.

Buio senza ombre, profondo, il culo di un pozzo nero. Però qualcosa volava lì intorno, un battito d'ali lieve e delicato, silenzioso, sembrava poter muovere l'aria che non c'era, lo avvertiva appena. Il battito prese un po' di luce, lontana, non capiva se fosse luce vera o un riflesso autonomo della retina. Si fece azzurra, divenne il viso di Marina. Prima il profilo, i capelli chiari, poi la fronte, la punta del naso, finalmente si girò e apparvero gli occhi. Lo guardava e sorrideva «Ciao...» disse. Gli sarebbe piaciuto allungare una mano, ma non l'aveva. E neanche le gambe aveva, come non aveva il corpo. Cos'era diventato? «È buio». «Sì» gli rispose lei, e come era venuta la luce divenne sempre più tenue e infine sparì.

«Rocco?». Da dove arrivava la voce di quell'uomo? Chi era? Come una lucciola lontana il punto luminoso tornò. «Amore, sei tu?».

«Sono io, Rocco».

«Non ti vedo, Marina».

«Non puoi ancora...».

«È buio qui. E fa freddo».

La luce aumentò appena. «Sono qui».

«Sei qui... non hai le mani?».

«No».

«Non mi puoi accarezzare?».

«No Rocco, non posso».

«Rocco?» ancora la voce di un uomo. Tutto intorno era di nuovo buio e lontano un rumore di acqua che gocciola.

Una caverna. Era in una caverna? E come c'era finito?

«Non riesco a muovere niente».

«Non hai niente da muovere... poi ti abitui».

«A cosa Mari'?».

«A questo».

Tornò il buio denso, materico, impenetrabile. Non c'era odore, nessun rumore, anche il battito lieve di ali se n'era andato. Poi qualcosa lo portò giù, sempre più giù, lo precipitò nel pozzo dal culo nero per chilometri. Cercò di guardare in basso e apparve una foresta, senza colori, punte di alberi grigi e tronchi neri, fogliame bianco, ci stava cadendo sopra a una velocità folle. Gli alberi diventavano sempre più vicini fino a che ci finì dentro e tutto si spezzettò in una miriade di puntini volanti, pulviscolo bianco come neve che fluttuava nel nero di una notte perenne. La goccia riprese a cadere regolare e c'era acqua, una piscina forse, scura, fredda, appena increspata, rifletteva delle macchie bianche e ingoiava il pulviscolo perlaceo. In piedi sull'acqua c'era un uomo di spalle. Portava il loden, s'incamminò verso il buio e sparì.

Aveva sonno. Dormire, forse per sempre, non guardare più niente, farsi cullare dall'acqua che gocciolava e restare fermo nel buio, altro non chiedeva. Era questo morire? Restare così, inerti in mezzo a niente, tornare nel niente come prima di nascere con qualche brandello di memoria ancora in vita? La foto di suo padre davanti alla tipografia prese vita. Sorrideva e abbracciava Sabatino, invece lui con la sua Atala non c'era più, scappato via.

«Rocco?».

Ancora la voce dell'uomo. Ed era lì, davanti a lui. Non riusciva a distinguere i tratti del viso, sembrava portasse una busta di plastica trasparente in testa. Poi i lineamenti si rimisero a posto e come in un gioco di tessere la faccia divenne quella di Fumagalli.

«Rocco?».

«Alberto?».

«Sì, Rocco, sono io...».

«Sei qui?».

«Sono qui...».

«Che, mi stai aprendo?».

«O grullo, se ti stavo aprendo mica stavamo parlando, no?».

Indice

Rien ne va plus

Questo volume è stato stampato
su carta Palatina
delle Cartiere di Fabriano
nel mese di gennaio 2019
presso la Leva srl - Milano
e confezionato
presso IGF s.p.a. - Aldeno (TN)

La memoria

Ultimi volumi pubblicati

901 Colin Dexter. Niente vacanze per l'ispettore Morse
902 Francesco M. Cataluccio. L'ambaradan delle quisquiglie
903 Giuseppe Barbera. Conca d'oro
904 Andrea Camilleri. Una voce di notte
905 Giuseppe Scaraffia. I piaceri dei grandi
906 Sergio Valzania. La Bolla d'oro
907 Héctor Abad Faciolince. Trattato di culinaria per donne tristi
908 Mario Giorgianni. La forma della sorte
909 Marco Malvaldi. Milioni di milioni
910 Bill James. Il mattatore
911 Esmahan Aykol, Andrea Camilleri, Gian Mauro Costa, Marco Malvaldi, Antonio Manzini, Francesco Recami. Capodanno in giallo
912 Alicia Giménez-Bartlett. Gli onori di casa
913 Giuseppe Tornatore. La migliore offerta
914 Vincenzo Consolo. Esercizi di cronaca
915 Stanisław Lem. Solaris
916 Antonio Manzini. Pista nera
917 Xiao Bai. Intrigo a Shanghai
918 Ben Pastor. Il cielo di stagno
919 Andrea Camilleri. La rivoluzione della luna
920 Colin Dexter. L'ispettore Morse e le morti di Jericho
921 Paolo Di Stefano. Giallo d'Avola
922 Francesco M. Cataluccio. La memoria degli Uffizi
923 Alan Bradley. Aringhe rosse senza mostarda
924 Davide Enia. maggio '43
925 Andrea Molesini. La primavera del lupo
926 Eugenio Baroncelli. Pagine bianche. 55 libri che non ho scritto
927 Roberto Mazzucco. I sicari di Trastevere
928 Ignazio Buttitta. La peddi nova
929 Andrea Camilleri. Un covo di vipere
930 Lawrence Block. Un'altra notte a Brooklyn
931 Francesco Recami. Il segreto di Angela
932 Andrea Camilleri, Gian Mauro Costa, Alicia Giménez-Bartlett, Marco Malvaldi, Antonio Manzini, Francesco Recami. Ferragosto in giallo

933 Alicia Giménez-Bartlett. Segreta Penelope
934 Bill James. Tip Top
935 Davide Camarrone. L'ultima indagine del Commissario
936 Storie della Resistenza
937 John Glassco. Memorie di Montparnasse
938 Marco Malvaldi. Argento vivo
939 Andrea Camilleri. La banda Sacco
940 Ben Pastor. Luna bugiarda
941 Santo Piazzese. Blues di mezz'autunno
942 Alan Bradley. Il Natale di Flavia de Luce
943 Margaret Doody. Aristotele nel regno di Alessandro
944 Maurizio de Giovanni, Alicia Giménez-Bartlett, Bill James, Marco Malvaldi, Antonio Manzini, Francesco Recami. Regalo di Natale
945 Anthony Trollope. Orley Farm
946 Adriano Sofri. Machiavelli, Tupac e la Principessa
947 Antonio Manzini. La costola di Adamo
948 Lorenza Mazzetti. Diario londinese
949 Gian Mauro Costa, Alicia Giménez-Bartlett, Marco Malvaldi, Antonio Manzini, Francesco Recami. Carnevale in giallo
950 Marco Steiner. Il corvo di pietra
951 Colin Dexter. Il mistero del terzo miglio
952 Jennifer Worth. Chiamate la levatrice
953 Andrea Camilleri. Inseguendo un'ombra
954 Nicola Fantini, Laura Pariani. Nostra Signora degli scorpioni
955 Davide Camarrone. Lampaduza
956 José Roman. Chez Maxim's. Ricordi di un fattorino
957 Luciano Canfora. 1914
958 Alessandro Robecchi. Questa non è una canzone d'amore
959 Gian Mauro Costa. L'ultima scommessa
960 Giorgio Fontana. Morte di un uomo felice
961 Andrea Molesini. Presagio
962 La partita di pallone. Storie di calcio
963 Andrea Camilleri. La piramide di fango
964 Beda Romano. Il ragazzo di Erfurt
965 Anthony Trollope. Il Primo Ministro
966 Francesco Recami. Il caso Kakoiannis-Sforza
967 Alan Bradley. A spasso tra le tombe
968 Claudio Coletta. Amstel blues
969 Alicia Giménez-Bartlett, Marco Malvaldi, Antonio Manzini, Francesco Recami, Alessandro Robecchi, Gaetano Savatteri. Vacanze in giallo
970 Carlo Flamigni. La compagnia di Ramazzotto
971 Alicia Giménez-Bartlett. Dove nessuno ti troverà
972 Colin Dexter. Il segreto della camera 3
973 Adriano Sofri. Reagì Mauro Rostagno sorridendo
974 Augusto De Angelis. Il canotto insanguinato
975 Esmahan Aykol. Tango a Istanbul
976 Josefina Aldecoa. Storia di una maestra
977 Marco Malvaldi. Il telefono senza fili

978 Franco Lorenzoni. I bambini pensano grande
979 Eugenio Baroncelli. Gli incantevoli scarti. Cento romanzi di cento parole
980 Andrea Camilleri. Morte in mare aperto e altre indagini del giovane Montalbano
981 Ben Pastor. La strada per Itaca
982 Esmahan Aykol, Alan Bradley, Gian Mauro Costa, Maurizio de Giovanni, Nicola Fantini e Laura Pariani, Alicia Giménez-Bartlett, Francesco Recami. La scuola in giallo
983 Antonio Manzini. Non è stagione
984 Antoine de Saint-Exupéry. Il Piccolo Principe
985 Martin Suter. Allmen e le dalie
986 Piero Violante. Swinging Palermo
987 Marco Balzano, Francesco M. Cataluccio, Neige De Benedetti, Paolo Di Stefano, Giorgio Fontana, Helena Janeczek. Milano
988 Colin Dexter. La fanciulla è morta
989 Manuel Vázquez Montalbán. Galíndez
990 Federico Maria Sardelli. L'affare Vivaldi
991 Alessandro Robecchi. Dove sei stanotte
992 Nicola Fantini e Laura Pariani, Marco Malvaldi, Dominique Manotti, Antonio Manzini, Francesco Recami, Gaetano Savatteri. La crisi in giallo
993 Jennifer. Worth. Tra le vite di Londra
994 Hai voluto la bicicletta. Il piacere della fatica
995 Alan Bradley. Un segreto per Flavia de Luce
996 Giampaolo Simi. Cosa resta di noi
997 Alessandro Barbero. Il divano di Istanbul
998 Scott Spencer. Un amore senza fine
999 Antonio Tabucchi. La nostalgia del possibile
1000 La memoria di Elvira
1001 Andrea Camilleri. La giostra degli scambi
1002 Enrico Deaglio. Storia vera e terribile tra Sicilia e America
1003 Francesco Recami. L'uomo con la valigia
1004 Fabio Stassi. Fumisteria
1005 Alicia Giménez-Bartlett, Marco Malvaldi, Antonio Manzini, Santo Piazzese, Francesco Recami, Gaetano Savatteri. Turisti in giallo
1006 Bill James. Un taglio radicale
1007 Alexander Langer. Il viaggiatore leggero. Scritti 1961-1995
1008 Antonio Manzini. Era di maggio
1009 Alicia Giménez-Bartlett. Sei casi per Petra Delicado
1010 Ben Pastor. Kaputt Mundi
1011 Nino Vetri. Il Michelangelo
1012 Andrea Camilleri. Le vichinghe volanti e altre storie d'amore a Vigàta
1013 Elvio Fassone. Fine pena: ora
1014 Dominique Manotti. Oro nero
1015 Marco Steiner. Oltremare
1016 Marco Malvaldi. Buchi nella sabbia
1017 Pamela Lyndon Travers. Zia Sass

1018 Giosuè Calaciura, Gianni Di Gregorio, Antonio Manzini, Fabio Stassi, Giordano Tedoldi, Chiara Valerio. Storie dalla città eterna
1019 Giuseppe Tornatore. La corrispondenza
1020 Rudi Assuntino, Wlodek Goldkorn. Il guardiano. Marek Edelman racconta
1021 Antonio Manzini. Cinque indagini romane per Rocco Schiavone
1022 Lodovico Festa. La provvidenza rossa
1023 Giuseppe Scaraffia. Il demone della frivolezza
1024 Colin Dexter. Il gioiello che era nostro
1025 Alessandro Robecchi. Di rabbia e di vento
1026 Yasmina Khadra. L'attentato
1027 Maj Sjöwall, Tomas Ross. La donna che sembrava Greta Garbo
1028 Daria Galateria. L'etichetta alla corte di Versailles. Dizionario dei privilegi nell'età del Re Sole
1029 Marco Balzano. Il figlio del figlio
1030 Marco Malvaldi. La battaglia navale
1031 Fabio Stassi. La lettrice scomparsa
1032 Esmahan Aykol, Gian Mauro Costa, Alicia Giménez-Bartlett, Marco Malvaldi, Antonio Manzini, Francesco Recami, Gaetano Savatteri. Il calcio in giallo
1033 Sergej Dovlatov. Taccuini
1034 Andrea Camilleri. L'altro capo del filo
1035 Francesco Recami. Morte di un ex tappezziere
1036 Alan Bradley. Flavia de Luce e il delitto nel campo dei cetrioli
1037 Manuel Vázquez Montalbán. Io, Franco
1038 Antonio Manzini. 7-7-2007
1039 Luigi Natoli. I Beati Paoli
1040 Gaetano Savatteri. La fabbrica delle stelle
1041 Giorgio Fontana. Un solo paradiso
1042 Dominique Manotti. Il sentiero della speranza
1043 Marco Malvaldi. Sei casi al BarLume
1044 Ben Pastor. I piccoli fuochi
1045 Luciano Canfora. 1956. L'anno spartiacque
1046 Andrea Camilleri. La cappella di famiglia e altre storie di Vigàta
1047 Nicola Fantini, Laura Pariani. Che Guevara aveva un gallo
1048 Colin Dexter. La strada nel bosco
1049 Claudio Coletta. Il manoscritto di Dante
1050 Giosuè Calaciura, Andrea Camilleri, Francesco M. Cataluccio, Alicia Giménez-Bartlett, Antonio Manzini, Francesco Recami, Fabio Stassi. Storie di Natale
1051 Alessandro Robecchi. Torto marcio
1052 Bill James. Uccidimi
1053 Alan Bradley. La morte non è cosa per ragazzine
1054 Émile Zola. Il denaro
1055 Andrea Camilleri. La mossa del cavallo
1056 Francesco Recami. Commedia nera n. 1
1057 Marco Consentino, Domenico Dodaro, Luigi Panella. I fantasmi dell'Impero

1058 Dominique Manotti. Le mani su Parigi
1059 Antonio Manzini. La giostra dei criceti
1060 Gaetano Savatteri. La congiura dei loquaci
1061 Sergio Valzania. Sparta e Atene. Il racconto di una guerra
1062 Heinz Rein. Berlino. Ultimo atto
1063 Honoré de Balzac. Albert Savarus
1064 Alicia Giménez-Bartlett, Marco Malvaldi, Antonio Manzini, Francesco Recami, Alessandro Robecchi, Gaetano Savatteri. Viaggiare in giallo
1065 Fabio Stassi. Angelica e le comete
1066 Andrea Camilleri. La rete di protezione
1067 Ben Pastor. Il morto in piazza
1068 Luigi Natoli. Coriolano della Floresta
1069 Francesco Recami. Sei storie della casa di ringhiera
1070 Giampaolo Simi. La ragazza sbagliata
1071 Alessandro Barbero. Federico il Grande
1072 Colin Dexter. Le figlie di Caino
1073 Antonio Manzini. Pulvis et umbra
1074 Jennifer Worth. Le ultime levatrici dell'East End
1075 Tiberio Mitri. La botta in testa
1076 Francesco Recami. L'errore di Platini
1077 Marco Malvaldi. Negli occhi di chi guarda
1078 Pietro Grossi. Pugni
1079 Edgardo Franzosini. Il mangiatore di carta. Alcuni anni della vita di Johann Ernst Biren
1080 Alan Bradley. Flavia de Luce e il cadavere nel camino
1081 Anthony Trollope. Potete perdonarla?
1082 Andrea Camilleri. Un mese con Montalbano
1083 Emilio Isgrò. Autocurriculum
1084 Cyril Hare. Un delitto inglese
1085 Simonetta Agnello Hornby, Esmahan Aykol, Andrea Camilleri, Gian Mauro Costa, Alicia Giménez-Bartlett, Marco Malvaldi, Antonio Manzini, Santo Piazzese, Francesco Recami, Alessandro Robecchi, Gaetano Savatteri, Fabio Stassi. Un anno in giallo
1086 Alessandro Robecchi. Follia maggiore
1087 S. N. Behrman. Duveen. Il re degli antiquari
1088 Andrea Camilleri. La scomparsa di Patò
1089 Gian Mauro Costa. Stella o croce
1090 Adriano Sofri. Una variazione di Kafka
1091 Giuseppe Tornatore, Massimo De Rita. Leningrado
1092 Alicia Giménez-Bartlett. Mio caro serial killer
1093 Walter Kempowski. Tutto per nulla
1094 Francesco Recami. La clinica Riposo & Pace. Commedia nera n. 2
1095 Margaret Doody. Aristotele e la Casa dei Venti
1096 Antonio Manzini. L'anello mancante. Cinque indagini di Rocco Schiavone
1097 Maria Attanasio. La ragazza di Marsiglia
1098 Duško Popov. Spia contro spia
1099 Fabio Stassi. Ogni coincidenza ha un'anima

1100
1101 Andrea Camilleri. Il metodo Catalanotti
1102 Giampaolo Simi. Come una famiglia
1103 P. T. Barnum. Battaglie e trionfi. Quarant'anni di ricordi
1104 Colin Dexter. La morte mi è vicina
1105 Marco Malvaldi. A bocce ferme
1106 Enrico Deaglio. La zia Irene e l'anarchico Tresca
1107 Len Deighton. SS-GB. I nazisti occupano Londra
1108 Maksim Gor'kij. Lenin, un uomo
1109 Ben Pastor. La notte delle stelle cadenti
1110 Antonio Manzini. Fate il vostro gioco
1111 Andrea Camilleri. Gli arancini di Montalbano
1112 Francesco Recami. Il diario segreto del cuore
1113 Salvatore Silvano Nigro. La funesta docilità
1114 Dominique Manotti. Vite bruciate
1115 Anthony Trollope. Phineas Finn
1116 Martin Suter. Il talento del cuoco
1117 John Julius Norwich. Breve storia della Sicilia
1118 Gaetano Savatteri. Il delitto di Kolymbetra
1119 Roberto Alajmo. Repertorio dei pazzi della città di Palermo
1120 Andrea Camilleri, Gian Mauro Costa, Alicia Giménez-Bartlett, Marco Malvaldi, Dominique Manotti, Santo Piazzese, Francesco Recami, Gaetano Savatteri. Una giornata in giallo
1121 Giosuè Calaciura. Il tram di Natale